Photo couverture 1 et 4:
Shooting Star/Ponopresse

Édimedia/Alpha Diffusion:
63, 112, 113, 115, 121, 122, 123, 127
Gamma/Ponopresse: 30, 31, 32
Image/Ponopresse: 27, 53, 55, 56, 58, 59, 60, 61, 62, 64, 118
Keystone: 57, 59, 127
Shooting Star/Ponopresse: 116, 117, 119
Sipa/Ponopresse: 28, 29
Sygma/Alpha Diffusion: 23, 24, 25, 26, 110, 112
SYndicated Features/Ponopresse: 22, 53, 128
UPI: 22

Maquette de la couverture:
Gilles Cyr, le Graphicien inc.

Composition et mise en pages:
Helvetigraf Enr.

LES ÉDITIONS QUEBECOR
Une division de Groupe Quebecor Inc.
225, rue Roy est
Montréal, H2W 2N6
Tél.: (514) 282-9600

Dépôts légaux, premier trimestre 1983
Bibliothèque nationale du Québec
Bibliothèque nationale du Canada
ISBN 2 89089-197-6

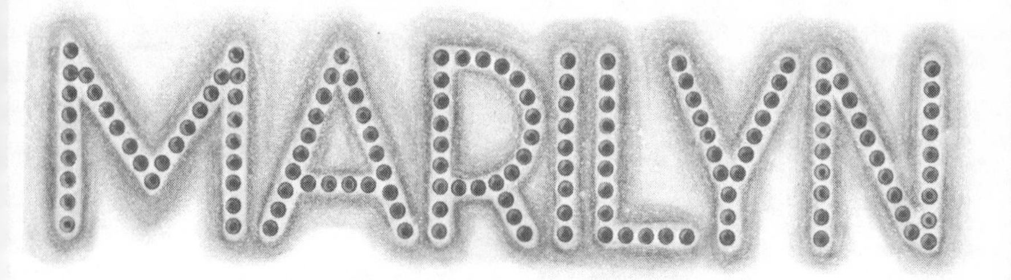

sa vie secrète

PIERRE BROUSSEAU

Je dédie ce livre à ma fille, Isabelle, qui a opté pour les arts dramatiques comme moyen d'expression.

Pierre Brousseau en compagnie des deux femmes de sa vie, Mariette et Isabelle, au lancement du 6e Festival international des Films du monde.

PIERRE BROUSSEAU

Pierre Brousseau est un spécialiste des questions cinématographiques, qui l'occupent depuis une quinzaine d'années. Inscrit à l'Université de Californie, à Los Angeles (UCLA), en 1965, il dut, à cause de la guerre du Viêt-nam, revenir au Canada où il produisit bientôt deux courts métrages. Devenu journaliste, il couvrit le Festival de Cannes pendant six ans pour *CKAC, TV Hebdo, La Patrie* et *Photo-Journal.* Il fut agent de relations publiques pour le Festival international des Films du Monde dont il est aujourd'hui le secrétaire du jury. Il a été acheteur pour Pierre David et René Malo, au Festival de Milan (Indian Summer), conseiller en marketing chez Filmplan International et adjoint exécutif au président des Films Mutuels. Il a produit un long métrage, écrit trois scénarios et coordonné la trame musicale de deux autres films. Il est aujourd'hui correspondant du Québec au *Hollywood Reporter* et tient une chronique de cinéma à la télévision, dans le cadre d'Arts-Québec, au canal 29. Conservant son statut de pigiste, il collabore présentement à plusieurs magazines et à quelques périodiques. Monsieur Brousseau est membre de l'Académie canadienne du Cinéma, section producteurs, et membre de l'ACTRA, en qualité d'écrivain.

PIERRE BROUSSEAU

La meilleure façon de me prouver à moi-même ce que je vaux comme personne est de me prouver à moi-même ce que je vaux comme actrice.

Marilyn Monroe

Marilyn Monroe aurait aujourd'hui 56 ans. Aimerait-elle davantage la vie?

Le 5 août 1982, au matin, les trois grands réseaux nationaux de télévision américaine rendaient unanimement un hommage douteux a celle dont les initiales sont aussi célèbres que F.D.R. ou J.F.K.: M.M. ne symbolise-t-elle pas la plus grande figure mythique du cinéma moderne? Partout dans le monde, l'exemple de la télévision américaine fut suivi dans tous les médias. Même 20 ans après sa mort tragique, M.M. représente une affaire dont le «système» continue de profiter, ce même «système» qui eut raison d'elle, qui parvint à tuer chez elle tout espoir et qui vint à bout de son innocence foncière... Le culte de Marilyn est, et sera payant: le «système» détruit, mais il recycle tout, surtout la mémoire de ses propres célébrités. Grâce au système, Marilyn Monroe est devenue une immortelle...

Au milieu du tintamarre du 5 août, le témoignage d'Yves Montand est, au contraire touchant. La covedette de Marilyn dans *Let's Make Love* a rendu un vibrant hommage à son ancienne partenaire dont il appréciait surtout la chaleur humaine. Et il termine son témoignage sur une note infiniment réaliste concernant le statut de l'actrice: «Il y en a encore trop qui doutent de la validité de l'étoile Marilyn, mais il n'empêche que c'est encore à elle qu'on se mesure en 1982 quand il s'agit d'établir le degré de grandeur d'une STAR!» Effectivement, 20 ans après le décès de «la Vénus au coeur d'enfant», non seulement doit-on encore se comparer à elle pour mesurer l'étendue de son charisme, mais la «monromanie» elle-même n'a jamais été plus vivante.

À tous les ans, dans la nuit du 5 août, un grand cafard s'abat sur une masse d'Américains; dans le quartier de Brentwood, où on la retrouva nue dans ses draps de satin, entre un Dom Pérignon 1953 et un tourne-disque où la voix de Frank Sinatra ne pouvait plus rien pour son imaginaire, des milliers de fidèles se réunissent dans les bars, en cette veillée funèbre qui se terminera devant le charmant petit cimetière de Westwood Memorial Park, derrière le cinéplex d'Avco au 10840, Wilshire Boulevard, là où Joe DiMaggio fait fleurir sa tombe depuis que la simple plaque identifiant l'objet de son amour y fut apposée: Marilyn Monroe 1926-1962. À trois heures du matin, des centaines de roses sont jetées annuellement sur cette pierre tombale où, en 1962, Lee Strasberg lut, en l'absence des «amis» hollywoodiens de Marilyn, refusés par DiMaggio, l'éloge suivant: «Nous avons connu en elle un être humain chaleureux, impulsif et timide, quelqu'un de sensible qui craignait constamment d'être rejeté et qui, malgré tout, était avide de la vie et désireux de s'accomplir. Durant sa propre époque, elle éleva au niveau du mythe la carrière qui pouvait s'ouvrir devant une pauvre fille issue d'un milieu miséreux. Pour le monde entier, elle devint le symbole de l'éternel féminin. Pour nous, Marilyn était une amie loyale et dévouée, une collègue toujours à la recherche de la perfection... Il est difficile d'accepter le fait que son enthousiasme pour la vie se soit éteint, après ce terrible accident. Je suis vraiment désolé que le public qui l'aimait tant n'ait pas eu l'opportunité de la voir dans notre perspective, dans les nombreux rôles qui laissaient présager ce qu'elle allait devenir. Sans le moindre doute, elle aurait été l'une des plus authentiques et grandioses actrices de la scène. Maintenant, c'en est fini de tout. Je souhaite que sa mort éveille la sympathie et la compréhension pour une artiste et une femme sensible qui apporta de la joie et du plaisir sur la terre.»

À peine quelques jours avant sa mort, Marilyn s'était rendue à une partie où elle avait signé, en entrant, le registre des invités. À la colonne «lieu de résidence», elle avait inscrit: NULLE PART. Ça se passait précisément le 2 août 1962.

Si Marilyn vivait, à quoi ressemblerait-elle aujourd'hui?

Celui qui la baptisa «L'Ange du Sexe», Norman Mailer, le grand romancier américain qui en tomba amoureux sans l'avoir jamais connue, dit de Marilyn qu'elle était une corne d'abondance et qu'elle engendrait des rêves d'or et de miel...

Le regard gris-bleu et la moue placide de Marilyn sont plus que jamais vivants et la «monromanie» bat son plein. On ne compte plus les objets modelés à son image, les cartes et les tee-shirts à son effigie, les encadrements de ses lèvres empourprées photographiées pour l'éternité, les toiles qu'elle a inspirées, les livres qu'on lui a consacrés, les cercles d'admirateurs qu'elle a suscités ni les passions qu'elle a provoquées! La Twentieth Century-Fox parrainait récemment, à New York, un concours des sosies de Marilyn; le mythe est si fort qu'on crée maintenant des œuvres à partir des «clones» de la «Vénus au cœur d'enfant» : son sosie australien, Linda Kerridge, l'incarna, il n'y a pas longtemps, dans le film *Fade to Black*, et le cinéaste Alfred Sole publia, en août dernier, *Double Exposure*, une fiction basée sur la vie parallèle d'une femme qui se modèle sur Monroe pour plaire à l'homme de sa vie, obsédé par Marilyn. Et sous peu, on assistera à la création d'un opéra-rock qui illustrera le conte doux-amer que constitue la vie tragique de Marilyn.

On dirait que plus le temps passe, plus les gens aiment Marilyn!

Quand Ernie Garcia, le président du Club des Fans de Marilyn Monroe, fonda ce club, en 1972, la moyenne d'âge des adhérents était de 30 ans. Mais les membres du club rajeunissent depuis trois ans au point de réduire cette moyenne de moitié! Ces jeunes, qui aperçoivent Marilyn pour la première fois à la télé, en tombent amoureux... Ernie Garcia, lui, eut le coup de foudre en 1958: il n'avait que 12 ans à l'époque et il découvrait sa passion à travers *Sept ans de réflexion, Les hommes préfèrent les blondes* et *Certains l'aiment chaud*. À la mort de Marilyn, il se dit qu'il fallait faire quelque chose, «parce qu'aux États-Unis, explique-t-il, on a besoin d'idoles et qu'après la disparition de Marilyn, Hollywood ne nous a donné personne qui arrive à la cheville de Monroe».

C'est alors que sa première annonce parut dans le *Hollywood Studio Magazine* et qu'il reçut une réponse plus qu'abondante des lecteurs intéressés, non seulement de son pays mais aussi de France, d'Allemagne, de Suède et du Canada, qui venaient gonfler de quelque 5 000 le nombre d'adhérents inscrits à son club. Quel est donc le rôle de ce club? Simplement garder vivant le souvenir de Marilyn en permettant et en favorisant tout un ensemble d'échanges: échanges de couvertures de magazines, d'objets, de vêtements ayant appartenu à la star, d'autographes, bien sûr, ou encore d'adresses rares fréquentées par Marilyn et autres endroits introuvables où dénicher l'exemplaire numéroté d'un livre inconnu qui lui fut consacré.

Si Marilyn vivait aujourd'hui, serait-elle plus satisfaite de son traitement posthume que de la considération qu'elle obtint de son vivant?

C'est la troisième question que je pose au nom de Marilyn mais c'est la seule à laquelle je veux répondre dès maintenant, me réservant l'espace nécessaire aux deux autres questions dans mon épilogue.

Edward Weston, un amateur d'art qui rêve beaucoup sur l'image de Marilyn, a assemblé, depuis 1972, l'une des plus belles collections de photos de sa star. Monsieur Weston est donc l'un des plus éminents représentants des fans de «l'Ange du Sexe» et il contribue fortement à perpétuer l'aura de sa «divinité». Sa collection effectuera ainsi, une tournée internationale en 1982-83, dans dix pays européens ainsi que dans dix villes américaines; cette tournée sera doublée, d'autre part, d'un concours auquel pourront participer tant les amateurs que les professionnels qui possèdent une photo inédite de celle qui meuble leurs nuits. Paradoxalement, il semble que le célèbre visage «de crème et de pêche», comme disait Truman Capote, soit plus vivant que jamais!

Après une séance photographique avec Marilyn, destinée à devenir une couverture du magazine *Life* en 1952, Philippe Halsman dit qu'elle avait essayé «de séduire l'œil de la caméra comme s'il s'était agi d'un être humain. Elle était incroyablement douée pour projeter toute la force de sa personnalité sur la lentille!» Cette histoire d'amour entre Marilyn et la caméra explique en grande partie l'ordre de grandeur de sa photogénie et la fascination qu'elle exerçait sur tous les professionnels de la photo. Bert Stern, qui vient de publier «The Last Sitting», dans l'édition de septembre du magazine *Vogue*, fut l'un de ces «pros» dont le nirvàna était de prendre la photo «ultime» de celle qui faisait rêver l'Amérique. Quelques mois avant la mort de l'actrice, armé d'une caisse de Dom Pérignon et de quelques foulards de soie, il loua une suite à l'hôtel Bel-Air de Beverly Hills où, en trois séances, il allait réaliser son ambition suprême et rendre Marilyn «immortelle» selon la perspective Bert Stern...

Stern était un succès américain assuré: il avait un contrat avec *Vogue* lui garantissant 100 pages de photos de mode par an, plus 10 pages de son choix, sans limites de dépenses! Il gagnait également 10 000 $ par semaine (en 1958!) pour la publicité de la vodka Smirnoff et il était, durant le tournage de *Cleopatra*, le photographe exclusif engagé par la Twentieth Century-Fox pour fixer l'image d'Elizabeth Taylor et Richard Burton. En 1962, Bert Stern avait atteint un sommet; la photo la plus réussie de sa carrière demeurait, à son avis, celle des Pyramides, exécutée pour Smirnoff. Cherchant alors quelque nouveau défi, il se demandait ce qui pourrait bien dépasser le mystère des Pyramides. Et l'éclair de génie jaillit: il n'y avait qu'une femme qui pouvait allier le mythe à l'optique, le mystère à l'aventure. Richard Avedon avait, certes, déjà photographié Marilyn pour *Life*, mais c'était des clichés enrobés brillamment de ce «feeling» de show business que Stern voulait éviter: en fait, c'est l'intimité qu'il voulait saisir, d'autant plus que, pour lui, faire des photos d'une femme était un acte étroitement relié à l'acte d'amour lui-même.

Ce que désirait Stern, c'était fixer sur la pellicule une Marilyn libre comme l'air, avec, précisément, uniquement de l'air entre la caméra et la peau de la femme, une Marilyn nue... comme personne ne l'avait jamais photographiée depuis l'histoire du fameux calendrier, 15 ans plus tôt! Ce souhait se réalisa; Stern poursuivit même plus loin sa quête, en travaillant sur un cliché de Marilyn qui équivaut à l'immortel cliché en noir et blanc de Greta Garbo par Edward Steichen. Pour Stern, c'était là la seule grande photographie d'une star. Ainsi, après avoir assouvi son désir de capter «la déesse de l'Amour» dénudée, il obtint son propre grand classique en noir et blanc.

L'exemple de Bert Stern est révélateur, me semble-t-il, du phénomène Monroe qui attisa absolument tous les hommes, quels qu'en aient été la patrie, la classe sociale, le champ d'activité, l'expérience amoureuse ou l'âge. Jim Dougherty, le premier de ses trois époux, était soldat, Joe DiMaggio, grand joueur de base-ball, Arthur Miller, dramaturge. James Spada — qui vient de publier *Monroe-Her Life in Pictures* — avait 13 ans quand il fonda le «Marilyn Monroe Memorial Fan Club», mais il n'avait que 10 ans quand, en 1960, il se laissa «enchanter» par l'image de Marilyn. Quant à Stern, même s'il avait photographié les plus belles femmes du monde, il ne put demeurer insensible au syndrome de Marilyn, et sa sensibilité lui fit découvrir la vulnérabilité de celle qui fut sans doute la plus photographiée de l'histoire de notre civilisation.

Marilyn était un objet de rêve pour la caméra. Elle incarnait, en effet, la rencontre paradoxale entre, d'une part, la femme-femme à qui l'amour ne fait jamais peur, et d'autre part, par la fragilité du cœur, la vulnérabilité de la femme-enfant. À cet égard, et contrairement aux préjugés, le caractère de Norma Jean se révélait d'une complexité qui égara ses contemporains à la manière d'un banc de brume. On voyait en elle selon les ressources de sa propre psychologie: certains n'y voyaient rien, d'autres jusqu'à un mètre, et quelques-uns jusqu'à cinq mètres.

C'est ce qui explique la diversité des opinions à son égard et c'est pourquoi je rapporte, à la fin de cet ouvrage, quelques citations de ceux et celles qui ont travaillé dans son entourage. Le réalisateur de *Let's Make Love*, l'un des flops de Marilyn, George Cukor, considérait tout simplement que l'affriolante blonde était folle. Mais Cukor détestait Marilyn; il ne travailla avec elle qu'en fin de carrière alors qu'elle se détériorait presque à vue d'œil et causait des délais de production majeurs, un élément intolérable pour le réalisateur qui n'essaya pas de faire la part des choses. On disait d'ailleurs qu'il haïssait tant Marilyn que les choses qu'il disait d'elle auraient fait rougir Sophie Tucker! Il en va de même pour Tony Curtis qui ne pensait qu'à lui dans *Certains l'aiment chaud* et qui devenait fou parce que Marilyn demandait tant de prises sur le plateau qu'il en avait perdu son énergie: la meilleure prise de Marilyn devenait donc la moins bonne prise pour lui (mais on a vu les résultats, et Tony Curtis n'a certainement pas souffert de cette exposition aux côtés de la sensuelle star), ce qui explique qu'il ait dit qu'«embrasser Marilyn, c'était comme embrasser Hitler!». Pareils propos sont trop haineux pour être pris au sérieux, mais ils démontrent, par contre, la non-disponibilité et l'impatience de certains compagnons de travail de Marilyn. À l'inverse Lee Strasberg, le plus grand professeur d'art dramatique newyorkais de l'histoire, accordait à Marilyn un crédit insoupçonné. Le cinéaste Joshua Logan lui reconnaissait du génie!

Le banc de brume. Tout est dans l'œil de celui qui regarde! Aussi, il faut se demander: sait-il regarder? Qui lui a appris à regarder? Dans quel but regarde-t-il? Quelle était son intention en regardant? Que voulait-il voir? Qu'est-il habitué à regarder?

Complexe tout ça, aussi complexe que Marilyn elle-même, un phénomène qui n'a rien de cartésien, qui se laisse difficilement fixer et qu'on ne peut juger entre deux battements de paupières: il faut y mettre le temps, la patience et l'amour, tellement est forte la densité qui sépare le vrai du faux.

Êtes-vous déjà allé au Louvre? Si oui, vous avez sans doute fait votre pèlerinage auprès de la Mona Lisa... Et si, une fois libéré de la vague de respect historique dont vous étiez envahi malgré vous, vous avez attentivement observé le chef-d'œuvre du maître, vous avez peut-être remarqué la complexité du portrait (tellement complexe qu'on ne rejette plus l'hypothèse que la Mona Lisa soit, en fait, un homme!), et mis le doigt sur l'essence de sa grandeur. Il suffit de cacher, avec la main, la moitié droite du visage peint: la Mona Lisa apparaît alors comme une dame de la haute, guindée et aristocratique, hautaine et altière. Mais si vous inversez la situation et contemplez maintenant l'autre moitié de son visage, vous serez saisi par la différence: vous découvrirez une femme beaucoup plus sensuelle et empreinte d'une pointe d'humour, presque prête à jouer... Dans ce visage, Léonard de Vinci a su rendre toute la plénitude de l'humanité, le mystère de la personnalité, les facettes contradictoires de la dimension humaine. Mais, à moins d'être indépendant d'esprit et de laisser sa sensibilité s'ouvrir aux émotions, on finira comme tant de touristes pressés qui sortent du Louvre en déclarant péremptoirement que la réputation de la toile est surfaite.

Marilyn nécessite cette attention dans le détail; pour peu que l'on veuille comprendre la mosaïque hollywoodienne et sa créature la plus magique, le jeu en vaut la chandelle.

Je ne prétends pas ici ajouter à tout ce qui a été publié sur le sujet, au contraire. Je voudrais plutôt reconstruire la vie et la carrière de Marilyn à la lumière des ouvrages déjà disponibles et vous éviter, grâce à cette courte synthèse, d'acheter 20 livres dont au moins la moitié ne sont guère valables. Je voudrais donc rassembler, dans le même volume, tous les faits historiques et risquer, à l'occasion, une interprétation de Marilyn, à partir de sa réalité émotionnelle, sans laquelle il serait impossible de saisir ses motivations profondes, alors qu'elle a toujours été consistante, même dans ses incohérences. Finalement, au cours de cette recherche, j'ai retrouvé des éléments oubliés par la plupart; ces rappels devraient donner un peu de piquant à cette reconstitution fidèle du plus spectaculaire «sex-symbol» de l'histoire.

LE MYSTÈRE MARILYN

Un symbole sexuel devient une chose. Je déteste devenir une simple chose.
Marilyn Monroe

C'est la caractéristique des tombes les plus récentes de s'enorgueillir des gazons les plus verts. L'emplacement de Marilyn dans le cimetière de Westwood ne semble jamais vouloir subir l'outrage des ans ou de l'oubli: on trouve toujours des roses fraîches dans le vase soudé à la façade de la crypte. Joe DiMaggio n'a jamais cessé de l'aimer et, à tous les trois jours, il fait livrer, depuis 20 ans, quatre roses rouges, symbolisant sa passion éternelle pour elle...

Comment ne pas être touché par pareil geste? Quelle femme n'aimerait pas être aimée avec une égale profondeur et une semblable constance? Cet amour total n'est-il pas le reflet inversé de la forme que prenait le sentiment chez Marilyn? Il faut être capable d'un très grand amour pour inspirer une si grande passion... serait-on tenté d'ajouter, mais ce n'est pas nécessairement vrai! Chez Marilyn Monroe, l'amour était tout, mais elle était incapable de s'en contenter car elle ne réussissait pas à le localiser chez un seul individu. L'amour était évanescent, chez elle, et ne prenait que momentanément le visage d'un être en particulier. Le besoin d'amour était si fort qu'il ne se connaissait pas de frontières!

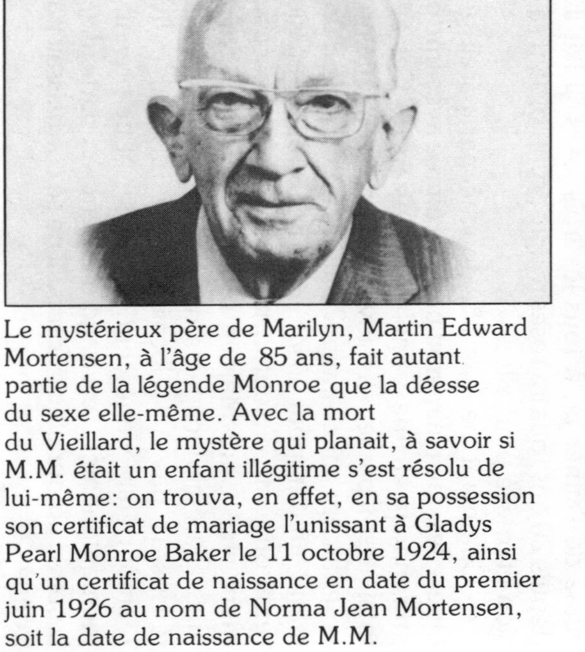

Le mystérieux père de Marilyn, Martin Edward Mortensen, à l'âge de 85 ans, fait autant partie de la légende Monroe que la déesse du sexe elle-même. Avec la mort du Vieillard, le mystère qui planait, à savoir si M.M. était un enfant illégitime s'est résolu de lui-même: on trouva, en effet, en sa possession son certificat de mariage l'unissant à Gladys Pearl Monroe Baker le 11 octobre 1924, ainsi qu'un certificat de naissance en date du premier juin 1926 au nom de Norma Jean Mortensen, soit la date de naissance de M.M.

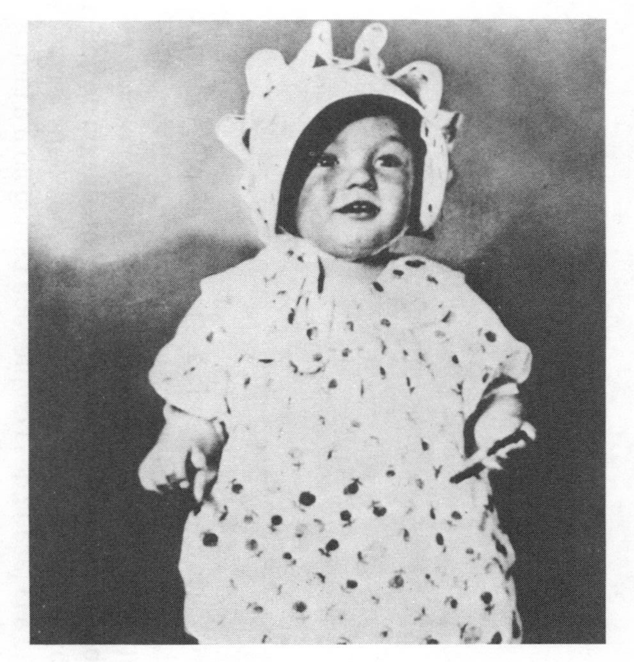

Norma Jean Baker, à l'âge où son innocence la protégeait de la fatalité.

Marilyn venait à peine d'avoir 16 ans quand elle prit mari pour la première fois en juin 1942, en l'occurrence James Dougherty. Ce fut un mariage de convenances car, la tutrice de Marilyn ne pouvant plus la garder, elle préféra se marier plutôt que de retourner à l'orphelinat.

Le 14 janvier 1954, Marilyn épousait le champion de base-ball Joe DiMaggio (à sa droite). On les voit ici célébrant leur premier anniversaire de mariage.

C'est au Japon que Marilyn et DiMaggio avaient choisi de passer leur lune de miel. On les voit ici à leur arrivée à l'aéroport de Tokyo en février 1954. Juste avant leur départ, ils avaient cependant «goûté» au mariage en privé sur la côte californienne...

Victime de son immense besoin d'être aimée, Marilyn n'avait pu s'empêcher, malgré la colère de Joe, d'aller saluer les troupes américaines qui lui avaient fait un accueil délirant en Corée.

Son troisième mariage, avec le célèbre auteur Arthur Miller suscita chez Marilyn les plus grands espoirs, mais cet échec final fut également le plus destructeur de tous: elle ne s'en remettra pas!

L'une des premières résidences officielles de M.M. au 8491 Fountain Ave, à Los Angeles: c'est ici que commença à vivre la starlette.

Le photographe Bruno Bernhard à côté de son plus célèbre modèle: il prit des photos des plus grandes stars des années 50 et, à son avis, le suicide de Marilyn était accidentel comme il le dit dans son livre *La beauté était leur destinée*.

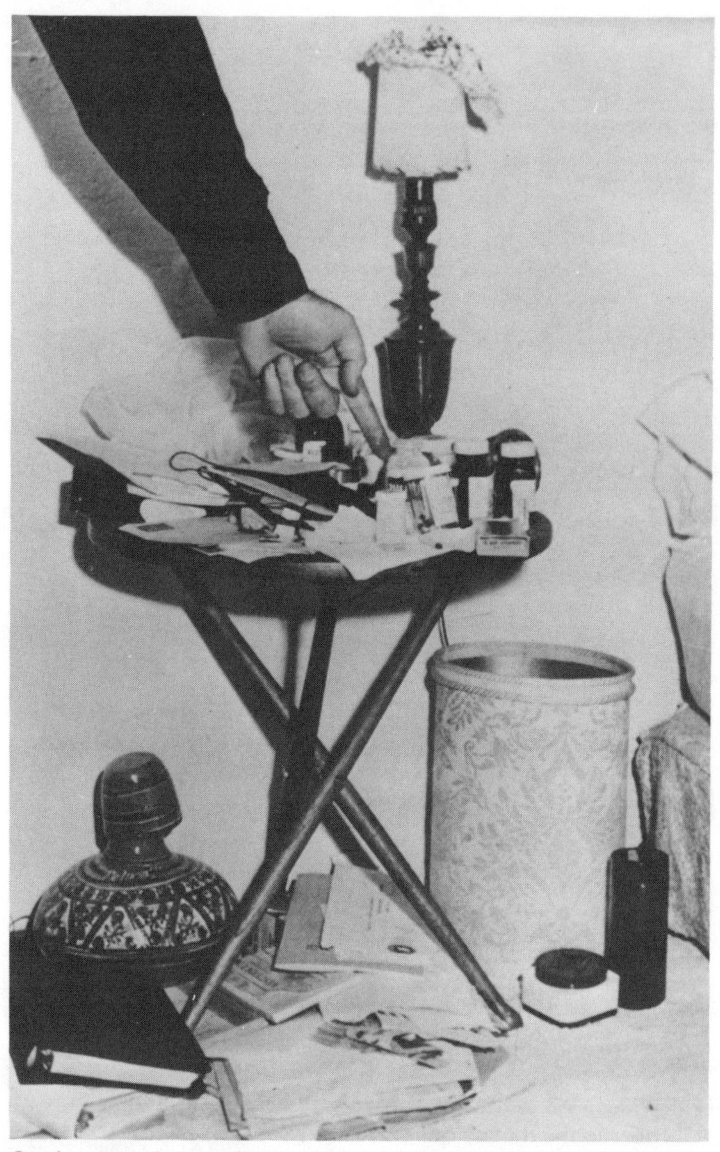

Sur la scène du suicide, la table de chevet où s'entremêlaient les nombreux barbituriques.

Ernie Garcia est, à 35 ans, l'un de ses plus ardents admirateurs et il collectionne tout ce qui touche de près ou de loin à son idole. Il est en outre, le président du fan club international de Marilyn lequel compte des milliers de membres de par le monde.

Le 5 août 1982, ils étaient tous venus, de toutes les parties des États-Unis et du monde, commémorer le 20e anniversaire du décès malheureux de l'éternelle star. La procession fut ininterrompue de 9h à midi alors que Kris Baldwin entonna *Norma Jean*, une chanson dédiée à Marilyn par Elton John.

Pour rendre hommage à Marilyn, ils avaient voyagé de New York, Londres, Barcelone et Tokyo. Ernie Garcia s'est présenté avec une carte postale ornée de l'effigie de Norma Jean, et était accompagné de Bettina Best qui venait de gagner un concours de sosie.

Tout admirable qu'il ait été ou qu'il soit, l'amour de Joe DiMaggio pour Marilyn connaissait des frontières, en l'occurrence les limites de sa propre individualité et les priorités de son échelle de valeurs personnelle. On ne devrait donc pas parler à son sujet de «passion» proprement dite, mais plutôt «d'amour profond». Cependant, encore là, n'est-il pas inhumain d'exiger d'un mari, — au surplus, conservateur et possessif de nature —, qu'il comprenne que sa femme est un mythe et qu'un mythe appartient à tout le monde?

Ce qui aura été admirable chez DiMaggio c'est son attitude, non pas avant, ni pendant, mais après son mariage avec Marilyn: c'est là que sa générosité et sa fiabilité impressionnent au plus haut degré. Et au bout du compte, ce comportement digne et solide serait probablement plus important pour Marilyn que bien d'autres comportements de type «passionnel», parce que c'est de ça qu'elle avait au fond besoin, d'un homme qui la seconderait «après» l'avoir possédée ou cru la posséder, au-delà du délire charnel qu'elle provoquait.

Dans le cimetière de trois acres et demie de Westwood, il est une autre blonde flamboyante que l'on a enterrée non loin de la crypte de Marilyn et qui fut, celle-là, la victime d'un amant, non seulement jaloux, mais violent et exploiteur. Cette autre blonde au pouvoir charnel époustouflant n'avait pas la sexualité innocente de Marilyn et elle n'avait pas été photographiée nue pour un calendrier de pacotille, car le contexte et l'époque étaient nettement différents: Dorothy Stratten posa pour *Playboy*, dont elle fut la «Playmate» de l'année, dans l'édition du mois de juin 1980. Si l'on compare le nu de Marilyn aux nus de Dorothy (qui venait de Vancouver, soit dit en passant), on se rend compte combien était virginal, presque immatériel, ce calendrier dont on tenta de faire un scandale au début des années 50.

Marchant un peu plus loin dans le petit cimetière en question, on ne pourrait s'empêcher de remarquer la tombe d'une autre victime de la société hollywoodienne, quelqu'un qui laissa également un mystère en disparaissant: que s'était-il passé dans la tête de Natalie Wood pour qu'elle parte ainsi dans la nuit noire sur un bateau vers l'inconnu, alors qu'à plusieurs reprises elle avait fait part de ses craintes extrêmes vis-à-vis pareil exercice?

Et l'on se rend compte, tout à coup, que le cas de Marilyn n'est pas unique et qu'entre 1962 et 1982, le scénario a été maintes fois récrit, Grace Kelly constituant l'exception confirmant la règle. Bien sûr, il n'existe pas de copie exacte du personnage créé par Marilyn qui était complet en lui-même (et qui répondait presque à la définition de l'héroïne: ascension fulgurante, mort prématurée, symbole éternel), mais il demeure qu'il existe des convergences troublantes entre ces vedettes de cinéma, marquées au sceau de la gloire et prises dans un piège où elles se débattent furieusement avant de succomber, par accident ou suicide: l'absorption de substances toxiques qui, alliées à l'alcool, deviennent un détonant mortel. On recourt systématiquement à des tranquillisants pour s'étourdir et pour ne plus souffrir, mais pour travailler et pour affronter la réalité, on saute sur les stimulants, une combinaison qui viendrait à bout de n'importe qui, avec le temps. Dans le cas de Marilyn et de Judy Garland, note le magazine *Femme* (no 6), une malédiction supplémentaire s'ajoute: l'usage massif d'anorexigènes pour garder la ligne. Le supplice permanent des régimes et l'état dépressif chronique qui s'ensuit. Le magazine remarque avec justesse que, malgré une trajectoire différente pour chacune de ces stars immolées, l'échec répond à la même contradiction: l'impossibilité d'équilibrer leur vie publique et leur vie intime. «Le résultat, pour des femmes déjà fragilisées par une vie en perpétuelle représentation: une insoutenable solitude. Mères réelles ou potentielles, mettant tous leurs espoirs de vie normale dans la naissance d'un enfant, elles sont frappées par une sombre fatalité dans leur chair, cruellement. Marilyn qui, de toutes ses forces, désirait un enfant d'Arthur Miller, Martine Carol qui, après sa première tentative de suicide, dira après la perte du petit garçon qu'elle attendait de Steve Crane: «Seul ce bébé aurait pu me sauver!» Romy Schneider reportait toute son affectivité sur son fils David («C'est l'homme le plus important de ma vie!»), à l'instar de Jean Seberg dont la fille, Nina, est morte quelques heures après sa naissance. Romain Gary avouera que sa femme, qui tenta de mettre fin à ses jours à sept reprises, le fit le plus souvent le jour de l'anniversaire de sa fille et se tua neuf ans, presque jour pour jour, après Nina!»

Et, bien sûr, elles sont myriades celles qui, avant Marilyn, ont touché le fond, sans payer de leur vie: Joan Crawford, Gene Tierney, Rita Hayworth, etc.

En quoi Marilyn Monroe est-elle différente de toutes celles qu'a vaincues, non pas Hollywood, mais le «star-system» de type hollywoodien? Marilyn les contient toutes, elle en est l'épitomé, le catalyseur du syndrome, ELLE EST LE MYTHE. Et c'est par le mythe que tout a commencé...

Expliquer le mythe, c'est éclaircir le mystère. Car on ne peut pas comprendre où s'est rendue Marilyn sans savoir d'où elle venait. Ce qui revient à faire un retour en arrière et revivre pendant quelques instants les débuts du «Star System», la plus grande invention publicitaire américaine qui soit, et un phénomène qui a débordé sur tous les champs d'activité. Le «star system», c'est le culte de la personnalité avec toutes les techniques de mise en marché que cela comprend. Il suffit de constater l'application universelle qu'on fait des «vedettes» (qu'il s'agisse du sport, des médias, des affaires ou du divertissement), pour mesurer l'importance fondamentale de cette stratégie de vente qui a conquis le monde entier et dont l'origine est californienne.

Faisons ici un peu d'histoire, vous verrez, ce sera fascinant!

Il faut d'abord savoir qu'il fut un temps où les acteurs et les actrices fonctionnaient dans l'anonymat le plus complet. En fait, la première décennie du 20e siècle fut la seule, dans l'histoire de l'industrie cinématographique, où on réussit à opérer avec succès sans recourir au vedettariat. C'est avec les «Années Folles», ces fameuses «Roaring Twenties, que naquit l'ère du «Fan», une époque marquée par de gigantesques opérations publicitaires. Cette composante allait changer le cours des choses et transformer le pouvoir détenu par le «Trust» au temps du muet.

Le «Trust», né de l'incorporation de la «Motion Picture Patents Company», le 9 septembre 1908, alliait Edison, l'inventeur du kinétoscope et propriétaire des brevets en Amérique, à Jeremiah Kennedy, un banquier qui représentait le plus dangereux adversaire d'Edison, la compagnie Biograph, qui avait inventé grâce à W.K.L. Dickson, l'ex-assistant d'Edison, une caméra utilisant une pellicule non perforée. Avec ses brevets d'inventeur, Edison ne pouvait contrôler que la fabrication des caméras qui utilisaient de la pellicule perforée; or, c'est justement pour contourner la loi, que les rivaux d'Edison s'étaient ingéniés à inventer des caméras différentes. D'un autre côté, il n'était pas possible de poursuivre tous ceux qui n'observaient pas la loi; on se contentait donc d'aller en justice uniquement contre les plus importantes compagnies, laissant croître, pendant ce temps, le flot des indépendants qui copiaient les brevets sans payer de droits à l'inventeur qui, soit dit en passant, avait négligé de déposer son invention en Europe.

Les compagnies américaines Vitagraph et Armat ayant d'autres brevets en main, on les invita, en leur cédant un nombre d'actions minoritaire, à se joindre au «Trust»; on procéda de même avec un groupe d'alliés, à qui on remit une licence: c'était Melies en France, Pathe qui démissionna en 1910, Essanay où Charlie Chaplin allait œuvrer en 1915, Selig, Kleine et Lubin. En formant le «Trust», ils s'engageaient donc à verser une redevance à Edison qui ne se fiait plus à la justice pour régler le problème des brevets d'inventions: «J'ai 500 brevets, écrivait-il en 1891, et j'ai dû dépenser 600 000 $ pour les faire respecter, mais je n'ai jamais eu gain de cause. Les brevets ont cessé d'être une garantie dans ce pays. C'est devenu moins cher de les voler!»

Néanmoins, le «Trust» allait se servir de son pouvoir contre la petite entreprise, ceux que l'on appelait les «indépendants: Carl Laemmle, Baumann, Dintenfass, etc. Ceux qui avaient une licence, eux, récoltaient, via leur distributeur, General Film Company, la somme de deux dollars par semaine en redevances qui, cumulées, totalisaient un million de dollars par année.

Cependant, l'association formait un «Trust» et, les «trusts» étant illégaux depuis la loi anti-trust de Sherman, la base légale de la «Patents Company» était pour le moins équivoque. C'est pourquoi les indépendants refusaient rageusement de respecter le règlement. Il s'ensuivit une guerre véritable, à New York et dans le New Jersey, où chaque partie eut recours à des bandits authentiques pour protéger ou détruire le matériel cinématographique visé. Cette «guerre des brevets», comme on l'appelle, fut l'une des grandes raisons qui, avec la question de la qualité de la lumière et les problèmes des localisations diverses, expliquent le départ des cinéastes-producteurs vers la Californie. Le coût légal de cette guerre était en effet exorbitant, sans compter que celle-ci mettait tout le monde en danger: on tirait à bout portant sur les gens, des studios étaient incendiés, etc.

Le mouvement d'opposition des «indépendants» avait besoin d'un leader, et cet homme allait être Carl Laemmle, qui fut actionné pas moins de 289 fois en trois ans par le «Trust». Il est d'ailleurs amusant de savoir comment il se sortait de toutes ces poursuites... Le film perforé étant l'enjeu du brevet et des redevances qui y étaient rattachées, Laemmle trouva un mécanisme similaire et antérieur à l'invention de la caméra d'Edison: le mécanisme grâce auquel se déroulait, à l'époque, le papier de toilette! Il gagna sa cause.

Le «Trust» s'était assuré d'asservir ses vedettes aux compagnies cinématographiques: il avait pris soin de ne pas créer un vedettariat qui aurait exercé une pression sur les acteurs connus et qui, par conséquent, aurait entraîné une augmentation des salaires que les manufacturiers de films ne voulaient pas payer. Les «indépendants» étaient certes d'accord avec ce principe, mais ils avaient besoin de toutes les armes qu'ils pouvaient fourbir contre le «Trust», afin d'affaiblir le pouvoir de leur grand rival. C'est à ce moment-là que Carl Laemmle, qui venait de fonder sa propre compagnie, IMP (Independant Motion Pictures), eut l'éclair de génie qui allait donner naissance au «star system». En 1910, il réussit à convaincre l'actrice la plus populaire des studios Biograph, Florence Lawrence, de quitter son employeur pour se joindre à lui, et il imagina, dans un but publicitaire, une campagne de presse basée sur un canular: il fit publier, dans les journaux, une histoire selon laquelle «The Biograph Girl» (comme le public ne connaissait pas le nom des acteurs, il les associait avec quelque chose qui les identifiait, dans ce cas-ci, la compagnie productrice) avait été tuée dans un accident de la circulation. Mais le jour suivant, il fit paraître une annonce, dans un journal, où il s'indignait que pareil mensonge puisse être publié! Et il annonçait que Florence Lawrence, la «Biograph Girl», devenait la «IMP Girl» et se joignait à sa compagnie. Un peu plus tard, il rendait également publique la venue chez IMP de Mary Pickford qui devait devenir la coqueluche du cinéma muet. C'est ainsi que naquit la toute première vedette connue sous son nom propre: Florence Lawrence.

Soucieux de donner de l'éclat aux productions de sa compagnie, Laemmle investit énormément d'argent dans ses vedettes (il produisit 100 courts métrages en 1910), et se fit un point d'honneur d'appeler ses «stars» par leur nom propre. En 1912, il fusionnait avec plusieurs petites compagnies et formait la Universal.

Le public se trouva beaucoup plus disposé à aimer un acteur ou une actrice qu'un nom de compagnie: c'est ainsi qu'est né le «Star System». Mais les hommes d'affaires, qui étaient alors, — rien n'a changé aujourd'hui, croyez-moi —, à la tête des compagnies de cinéma, ne voulurent pas attendre les «stars» propres au cinéma, et se mirent à aller chercher pour leurs films, des noms établis du côté du théâtre. Adolph Zukor (le pilier de ce qui allait devenir Famous Players) avait montré le chemin, en introduisant à l'écran, et à grands coûts, nulle autre que Sarah Bernhardt. Les autres compagnies suivirent son exemple, et, bientôt, les acteurs de film, apprenant le montant d'argent payé aux vedettes théâtrales, exigèrent le même traitement.

Adolph Zukor devina immédiatement que celui qui parviendrait à contrôler les «stars» prendrait aussi le contrôle du «box-office», et il fit à Mary Pickford une offre qui, à l'époque, était phénoménale: 500 $ par semaine, pour qu'elle quitte la «Biograph Girl» (où elle avait remplacé Florence Lawrence). Les demandes salariales de Pickford n'allaient cependant pas cesser d'augmenter, et Zukor lui offrit des sommes de plus en plus gigantesques, simplement pour qu'elle n'aille pas travailler ailleurs. «Little Mary» devint la seule femme de l'histoire à être le point de mire de toute l'industrie. En 1919, cependant, elle quitta quand même Zukor qui ne voulait pas lui accorder le droit de regard sur les scénarios. Elle signera, avec First National, en 1919, un contrat de 675 000 $ par an, plus 50% sur les profits bruts.

Le «star system» se développa à une allure vertigineuse. L'image de chaque vedette était non seulement manufacturée mais constamment nourrie par l'énorme machine publicitaire qui inventait littéralement 90% de son matériel. Le «star system» ne deviendra pas seulement le pilier de l'industrie cinématographique, mais aussi le support des manufactures de vêtements, de l'industrie des cosmétiques, des entreprises d'ameublement et d'une foule d'autres commerces qui bénéficiaient de réclames superbes pour leurs produits à Hollywood. Le pouvoir despotique des Stars provoqua cependant l'opposition des producteurs qui se sentaient responsables de leur succès. De telle sorte qu'à la fin de l'ère du muet, on ramena les grosses vedettes sur terre.

On leur coupa les ailes au profit des producteurs, qui en reprirent le contrôle grâce à des contrats fermes et restrictifs.

Quarante ans plus tard, Marilyn Monroe aura à entreprendre les mêmes batailles: pour percer d'abord, pour être équitablement payée ensuite; pour faire valoir son point de vue à des producteurs qui ne l'écoutaient pas, pour dire son mot sur les scénarios, bref, pour assumer son identité, pour être.

Ce résumé des débuts de l'industrie et surtout cet éclairage fait autour de la machine hollywoodienne, qui allait tant faire gémir Marilyn, vous aidera considérablement à comprendre la mentalité du milieu et les désespoirs de M.M. dans un contexte où elle ne pouvait que perdre la bataille. Vous verrez que le «mystère» de Marilyn s'éclaircit sensiblement quand on en connaît les enjeux.

Certains prétendent que le mystère est encore complet et qu'on ne saura jamais comment elle est morte. J'ai ma petite idée là-dessus... Je précise immédiatement toutefois, que lorsque je parle du «Mystère Monroe», j'entends le mystère de son comportement et de sa démarche troublante tout au cours de sa vie. Je ne parle pas ici des circonstances de sa mort. À ce sujet, les hypothèses, qui pullulent à nouveau dans les journaux à l'occasion du 20e anniversaire de son décès, ne manquent pas.

Marilyn serait partie en emportant avec elle le secret de sa mort.

Un ami de longue date de Marilyn, Robert Slatzer, et Milo Speriglio, un détective privé à la tête de «Nick Harris Detectives Inc.», affirment que M.M. a été assassinée. Selon Speriglio, on n'a jamais retrouvé le journal intime de Marilyn, dont il est convaincu de l'existence et dont la disparition s'explique, poursuit-il, par les indices qu'on y trouverait et qui démontreraient qu'on l'a tuée pour l'empêcher de révéler un complot de la CIA contre le président cubain Fidel Castro. Le détective a offert une récompense de 10 000 $ à qui récupérerait le fameux journal intime, offre qui fut rapidement portée — remarquez ici la plus pure «monromanie» à l'œuvre — à 100 000 $ par M. John Bowen, un marchand de tableaux de Beverly Hills, qui dit représenter un riche industriel qui aimerait bien ajouter ce précieux document à sa collection privée.

Speriglio enquête sur la mort de Marilyn depuis dix ans, — s'agirait-il d'un cas poussé et spécialisé de «monromanie»? —, et déclare que le FBI a déjà mené une enquête sur la mort de l'actrice, mais que 18 pages avaient été arrachées du rapport final, sous prétexte que personne ne devait lire ça, et qu'il en allait de la sécurité nationale. Le détective affirme également qu'il a obtenu, de très bonne source, une information selon laquelle Marilyn allait convoquer les journalistes à une conférence de presse pour parler de ses relations avec les Kennedy et pour dévoiler (sous prétexte que Robert Kennedy, à la fin d'une liaison, aurait refusé de l'épouser!) le complot qui se tramait contre Fidel Castro. Cette conférence de presse aurait dû se tenir le lendemain de sa mort.

Par ailleurs — et ici on se retrouve en plein cinéma avec le célèbre «Deep Throat» dans *All the President's Men* — Speriglio ajoute qu'il existe un enregistrement sonore de la mort de M.M. Cet enregistrement serait à Washington mais pas entre les mains du Gouvernement. On y entendrait «quelqu'un qui donne une gifle puis, un corps qui tombe et, finalement, une femme qui cherche sa respiration et qui pousse des cris étouffés comme si elle avait un oreiller sur la figure». Le détective continue en disant qu'il ne veut pas faire trop de révélations car il craint pour sa vie; mais il ajoute aussitôt qu'on y entend clairement une voix d'homme dire: «Et maintenant, qu'est-ce qu'on fait avec le corps?» Speriglio aurait pu entendre l'enregistrement par téléphone grâce à un mystérieux interlocuteur qui désirait l'aider dans son enquête: «Tout était enregistré dans l'appartement de Marilyn et ce, depuis des années...»

Entretemps, Lionel Grandison, un ex-détective travaillant pour le coroner quand il avait 22 ans, a déclaré croire qu'il existait des circonstances autour de la mort de Marilyn justifiant à son avis une enquête, mais qu'il s'était contenté de suivre les ordres tout en refusant de signer le certificat de décès. «La procédure normale, dit-il, était de rassembler toute l'information nécessaire et d'en rendre compte à l'administration, sauf qu'à cette occasion, la filière médicale était incomplète. L'équipe affectée aux suicides n'avait pas inclus l'évaluation dans son rapport. Je suis allé voir le docteur Theodore Curphey (qui était le coroner et médecin-inspecteur en chef) à ce sujet, mais il m'a répondu que les inspecteurs médicaux avaient conclu au suicide et il m'a forcé à signer le certificat de décès de la vedette.»

Cette dernière allégation, réfutée énergiquement par le docteur Curphey, jointe à la présumée disparition du «cahier rouge» de Marilyn dans le bureau du coroner, a permis la réouverture de l'enquête sur la mort de M.M. Speriglio estime que ses démarches personnelles auront permis de rouvrir l'enquête et que ceux qui se sont parjurés, lors du décès de Marilyn, se devront de venir témoigner et de dire tout ce qu'ils savent.

Par ailleurs, à la suite de toute la publicité qui entourait le «cahier rouge», l'ex-acteur Ted Jordan, que l'on a pu voir durant quelques années dans la série *Gunsmoke,* clamait qu'il avait en sa possession le fameux journal de Marilyn, recherché depuis 20 ans. Mais quand il réalisa l'ampleur de sa déclaration, il offrit immédiatement une autre version: il s'agissait plutôt d'un livre de poèmes! Jordan, dont on n'avait pas entendu parler depuis une éternité, en profita pour mentionner sa première rencontre avec Marilyn quand il travaillait comme sauveteur à la piscine du Roosevelt Hotel. On apprit, évidemment, qu'il avait été l'amant de M.M., qui découchait de la maison de sa tante chez qui elle restait, à Hollywood. Évidemment, Jordan fut indirectement responsable de la carrière de Marilyn puisqu'il la présenta à son oncle Ted Lewis qui la présenta à Lew Wasserman, de l'agence William Morris, qui, à son tour, l'introduisit à Johnny Hyde qui en fut amoureux et qui lui fit signer un contrat avec la 20th Century.

Faisant preuve d'une discrétion à tout rompre, Ted Jordan raconte qu'il était frère de sang de Marilyn puisqu'ils s'en étaient fait la promesse, avec Fred Libby (qui était de la même classe qu'eux), après s'être coupés au poignet. Le charmant personnage ajoute que Marilyn était malheureuse avec Arthur Miller qui lui donnait l'impression de se servir d'elle. Il termine, avec délicatesse, en disant qu'elle venait le rejoindre, à cette époque, à l'hôtel Belvedère de New York, pour lui conter tous ses tourments et pour faire l'amour avec lui.

Je ne sais pas ce que vous pensez de tout ça, mais moi, je demeure persuadé qu'il y a une bonne partie de ces déclarations qui proviennent de gens qui souhaitent s'associer au mythe de M.M., même de façon posthume. La chose est suffisamment claire dans le cas de Jordan, qui profite de la recherche du «cahier rouge» pour prétendre le posséder, et pour rendre publique son «aventure» avec l'idole: faut-il que Marilyn ait une aura puissante pour qu'on veuille ainsi, 20 ans après sa mort, utiliser pareil subterfuge afin de faire savoir qu'on était l'amant du «sex-symbol» du siècle?

Je ne mets pas en doute, personnellement, le fait que Marilyn ait pu faire l'amour avec Jordan ou avec le clan des Kennedy: pour Marilyn, non seulement faire l'amour était naturel, c'était aussi une façon de se mettre en valeur, car elle était fière de son corps et elle se sécurisait mentalement par son pouvoir d'éveiller le désir. Par contre, j'ai un peu de difficulté à croire qu'une faction dissidente de la CIA l'ait assassinée parce que Bob Kennedy aurait refusé de l'épouser, ou qu'elle aurait menacé d'éventer le complot de la baie des Cochons: ce n'est simplement pas conforme à la psychologie du personnage. Je suis persuadé que la CIA ou le FBI mettent, en effet, fin aux jours de diverses personnes au cours d'une année, de façon presque routinière. Ce n'est donc pas l'horreur du présumé geste meurtrier qui me rend sceptique. C'est plutôt ma connaissance du comportement émotionnel de Marilyn.

En fait, qui aurait pris au sérieux semblables allégations venant d'un «sex symbol»? Je n'élimine pas ici la possibilité que Marilyn ait su des choses compromettantes, au cours de ses fréquentations des Kennedy; mais, même s'il est possible, vu la détérioration physique et mentale de M.M. en 1962, qu'elle ait menacé de révéler le complot à la presse, je doute qu'on ait perdu la tête et qu'on ait entrepris de la faire disparaître: cela ne représentait probablement pas un danger réel; l'opération risquait davantage d'attirer une attention démesurée sur M.M. et ses relations amoureuses! D'autre part, le «danger» que représentait Marilyn, sur le plan politique, était d'autant plus inoffensif qu'absolument tout le monde connaissait son récent passage dans une clinique pour malades mentaux, à la sortie de laquelle elle avait été photographiée par une meute de «papparazzis». Non, décidément, cela ne me semble pas très sérieux...

Quant à Monsieur Speriglio, dont on dit qu'il enquête depuis 10 ans sur le «meurtre» de M.M., eh bien, j'en pense ceci: la publicité recueillie durant cette décennie doit bien valoir quelques essais annuels dans le style «Maigret» pour que le détective continue ainsi ses recherches... D'autre part, il y a peut-être anguille sous roche mais, en 20 ans, n'aurait-on pas découvert des indices? Que vaut la bande sonore, témoin du «crime»? Si ce n'est pas une invention du détective, il faut alors me dire pourquoi les meurtriers auraient pris la peine «d'enregistrer» l'assassinat de Marilyn? Pour laisser des traces de l'assassinat du siècle à la postérité? Ça ne me semble guère sérieux et plutôt stupide comme comportement! Ensuite, n'importe quel farceur inspiré de «Deep Throat» pourrait avoir fait pareil coup à Speriglio; finalement, semblable bande sonore n'a aucune valeur légale, alors... Reste «le travail inachevé» des enquêteurs et du coroner.

Ici, nous pourrions nous trouver face à un simple cas d'incompétence bureaucratique (ça c'est déjà vu!), de négligence qualifiée ou encore — et c'est l'hypothèse qui me séduit le plus — de corruption: le fameux journal intime a peut être été «vendu» à un riche collectionneur, à moins que le coroner n'ait été lui-même «tenté» de faire main basse sur cet objet qui cadrerait, fort bien dans toute collection «privée»... Et puis, de toute façon, a-t-on établi hors de tout doute que pareil journal existait? Et pourquoi Lionel Grandison a-t-il attendu 20 ans avant de faire part de ses scrupules? Serait-ce pour les mêmes raisons que Monsieur Ted Jordan?

Quant à ce dernier, qui a fini par avouer qu'il ne possédait qu'un livre de poèmes dont il n'a même pas été foutu de nous en lire un seul, je comblerai sa lacune à la fin du présent chapitre.

Marilyn venait de rater son troisième mariage dans lequel elle avait mis tant d'espoir; elle venait de terminer péniblement le tournage de *The Misfits* et se sentait responsable de l'arrêt cardiaque de Clark Gable (on n'hésita pas à pointer un doigt accusateur dans sa direction après les difficultés qu'elle avait créées sur le plateau) qui était, pour elle, une figure paternelle; elle venait d'être expulsée, par la Fox, du plateau de *Something's Got to Give;* elle venait de sortir de soins de psychiatrie intensifs; elle savait, enfin, qu'elle était maintenant irrémédiablement «brûlée» à Hollywood et qu'il ne lui restait plus qu'à faire face aux failles de sa vie, au vieillissement et à cette terrible solitude où elle ne ferait que se remettre en question *ad vitam aeternam...*

J'opte personnellement pour la théorie du suicide, parce que je ne crois pas que Marilyn ait pu encaisser ce coup dont le poids était trop lourd à porter pour ses épaules d'étoile brisée... Je suis prêt à pencher aussi pour la théorie de l'élimination inconsciente. Ce cycle infernal d'anorexigènes, de barbituriques et d'alcool conduit facilement au corridor de la mort: il suffit de prendre quelques pilules de trop par inadvertance, parce qu'on est tellement habitué à en prendre qu'on n'y fait plus attention, et hop, sans avertissement, on saute la clôture. Oui, ça c'est très possible...

Et je demeure convaincu que si ce n'avait été ce soir-là, ça aurait été un autre soir et que, de toute façon, Marilyn n'était nullement en mesure d'affronter la réalité d'alors. Même l'amour n'aurait pu la sauver: elle était allée trop loin, elle n'était plus accessible, elle nous avait déjà quittés...

La thèse du suicide me semble donc la plus exacte. Et si Marilyn a voulu en finir, il ne faudrait tout de même pas lui voler sa sortie... Surtout pas à la manière de Speriglio qui s'apprête à sortir son propre livre sur «L'affaire Monroe», et qui a donc doublement intérêt à mousser le «mystère», tout comme Robert Slatzer, d'ailleurs, qui s'apprête à faire de même! Pour ce qui est de Lionel Grandison, disons que mes doutes à son égard se sont multipliés depuis que j'ai entendu Robert Sacchi, cet acteur-sosie de Bogart qui fait un reportage hebdomadaire pour ABC à l'émission *Entertainment Tonight*, affirmer que Grandison avait déjà volé une carte de crédit sur la personne d'un cadavre...

Ne pleure pas, ma poupée,
Ne pleure pas
Je te berce dans mes bras pour t'endormir
Chut, chut, je te dis que je ne suis pas ta mère qui est morte,
Au secours, au secours,
Au secours, je sens la vie qui se rapproche
Quand je ne veux que mourir.

Marilyn Monroe

LES ANNÉES D'ENFER

Personne ne m'a jamais dit que j'étais jolie quand j'étais petite fille. Toutes les petites filles devraient se faire dire qu'elles sont jolies... même si elles ne le sont pas.

Marilyn Monroe

Le 4 juillet 1948, Marilyn avait atteint l'âge de 22 ans depuis 33 jours. Il est bien évident qu'elle ne porta pas attention au drame typiquement hollywoodien qui se déroulait, ce week-end, à la résidence de l'actrice Carole Landis... C'est Rex Harrison, alors marié à Lilli Palmer, qui découvrit le cadavre de la vedette sur le plancher de la salle de bains, une enveloppe froissée encore à la main, contenant une dernière pilule. Que faisait là l'acteur britannique? Carole était sa maîtresse et il venait de rompre définitivement avec elle...

Sur la commode de la chambre à coucher, on trouva la note suivante, adressée à sa mère, et souvent publiée par la suite:

«Ma très chère Maman,

Je suis désolée, vraiment désolée de t'imposer tout ça. Mais il n'y avait pas d'autre façon d'éviter ce dénouement. Je t'aime beaucoup et tu as certainement été la meilleure maman du monde. Et ceci s'applique à toute la famille. J'aime tendrement chacun. Je te laisse tout. Fouille dans mes papiers et tu trouveras mon testament. Salut, mon ange, prie pour moi.

Ton bébé.»

Peu de temps avant de poser ce geste désespéré, Carole Landis avait fait la confession suivante à *Photoplay:* «Laissez-moi vous dire une chose. Toutes les filles de la terre veulent trouver l'homme qui leur convient, quelqu'un de sympathique et de compréhensif qui soit fiable et fort, quelqu'un qu'on peut aimer à la folie. Les actrices ne font pas exception à cette règle, pas plus que les filles très séduisantes. Le charme, l'éclat, le clinquant, la gloire, l'argent, ne veulent pas dire grand-chose quand le cœur ne va pas...»

Le cœur de Carole Landis n'allait pas: elle y a mis un terme, prouvant la cohérence de sa théorie.

Le 4 juillet 1948, Marilyn commençait le tournage de son premier film, *Dangerous Years,* à la Fox. Elle avait bien autre chose en tête que «l'affaire Landis»: elle avait faim de gloire, elle voulait conquérir le monde. Seulement, elle ne s'était pas conquise elle-même, et il n'y a rien de plus dangereux que de se lancer à l'attaque quand on ne s'est pas assuré auparavant de sa propre force. Deux jours avant son suicide, le 3 août 1962, M.M. laissait entendre elle-même qu'elle avait compris trop tard le mécanisme du système hollywoodien.

Au cours de cette entrevue, qui fut sa dernière, publiée dans *Life,* Marilyn citait Goethe qui affirmait que le talent ne pouvait se développer qu'en privé. Et Marilyn confirmait ainsi: «C'est très vrai... sauf que tout le monde s'accroche toujours à vous comme s'ils voulaient avoir un morceau de vous. On croirait littéralement qu'ils veulent vous arracher des morceaux! L'industrie du cinéma devrait se comporter à l'égard de ses membres comme une mère dont l'enfant s'apprêterait à courir au-devant d'une voiture. Mais au lieu de retenir l'enfant pour l'empêcher de se blesser, on ne pense qu'à le punir!»

L'une de mes photos préférées: Marilyn, encore jeune fille, à peine éclose au mystère de sa propre sensualité.

Norma Jean Dougherty à ses premières heures dans le rôle de mannequin: la transformation n'est pas complète, le chenille n'a pas encore ses ailes...

L’une des poses publicitaires classiques telles qu’exigées par l’éthique des studios.

L'un des moins bons films de Marilyn fut tourné au Canada en 1953: ce fut *River of no return* où elle n'était guère à son avantage. Mais jouer avec Robert Mitchum l'avait excitée...

Marilyn, dans le film qui allait en faire une vedette de premier plan: *Niagara*.

Let's Make Love manquait tellement d'étincelles que le studio, paniqué devant l'échec inévitable, publicisa à satiété les fausses amours de Marilyn avec son partenaire Yves Montand: il ne s'agissait que d'un amour sans lendemain… à la grande humiliation de Marilyn qui lut cette déclaration de Montand alors qu'il protégeait Simone Signoret!

Photo publicitaire typique de Marilyn se prêtant volontiers au jeu du mythe sexuel: la poitrine généreuse et toujours offerte, accessible, pour faire rêver le mâle américain sexiste de l'Amérique du Milieu.

C'est avec *Bus Stop* que l'Amérique découvrit Marilyn dont l'attirail exhibé ne pouvait que la marquer éternellement du tampon: symbole sexuel. Le prix à payer sera lourd...

La transformation de Norma Jean Dougherty en Marilyn Monroe est ici complète et c'est grâce au succès de photos publicitaires en tenue sexy qu'elle sera retenue pour des petits rôles cinématographiques.

Un costume qui illustre parfaitement la chanson la plus populaire de M.M.: *Diamonds are a girl's best friend*.

À l'époque de son divorce avec Hollywood, Marilyn s'installa à New York et y prit des cours d'art dramatique à l'école de Lee Strasberg.

Marilyn n'a jamais cessé de se lier d'amitié... avec les pierres précieuses et elle a toujours jeté son dévolu sur les diamants, gros de préférence!

On s'approche ici du mythe pour ce qu'il fut, plus près de la sensualité que de la sexualité, plus suggestif qu'autrement, quelque part entre la femme-enfant et la femme-femme.

Séquins et gorge opulente, bracelet de diamants et sourire arboré toutes voiles dehors, cette femme joue avec le photographe mais est-elle heureuse?

Voilà comment le Hollywood des années 50 aimait ses sex-symbol: maquillée des pieds à la tête, rouge écarlate sur lèvres pulpeuses, poitrine prête à s'abandonner... et la fille d'en mourir d'envie! Le rêve charnel fait femme.

Dans cet article, paru l'avant-veille de sa mort, Marilyn venait de pointer du doigt ceux qui l'avaient poussée au suicide: les différents représentants de l'industrie cinématographique à qui elle fit faire des millions, même si elle leur fit perdre, à son déclin, des sommes importantes, par ses célèbres retards.

Non, Marilyn n'avait manifestement pas porté attention au drame de Carole Landis. Non seulement elle se concentrait sur la course au trésor avec une fiévreuse concentration, mais encore, sa vie propre lui avait fourni une dose suffisante de problèmes qu'elle ne tenait pas à revivre à travers les autres.

En fait, il n'est pas exagéré de qualifier l'enfance de M.M. d'enfance malheureuse. Aussi, je n'ai pas hésité à intituler ce chapitre «Les années d'enfer». La suite des événements vous convaincra rapidement de la justesse du qualificatif.

Marilyn est née sous le nom de Norma Jean Mortensen, et non pas Baker comme on le croit généralement. Ce n'est qu'à l'âge de six mois que Marilyn fut baptisée Norma Jean Baker par sa grand-mère Della. Quant à la mère de Marilyn, Gladys Pearl Monroe, elle travaillait comme monteuse de film à la RKO; elle était bien impressionnée par le vedettariat; aussi, quand elle donna malencontreusement naissance à une fille, elle décida de lui donner le prénom de Norma en souvenir de l'éclatante actrice Norma Talmadge.

La naissance de Norma n'était pas souhaitée car sa mère n'était pas mariée à ce moment-là; elle couchait assez régulièrement (car elle prit, apparemment, plusieurs amants chez RKO) avec un boulanger itinérant d'origine danoise, Edward Mortensen, qui l'abandonna dès qu'il sut qu'elle était enceinte. Auparavant, Gladys était mariée à un dénommé Baker qui divorça trois ans avant l'arrivée de Norma Jean et partit avec les deux enfants issus de cette union.

Il n'est pas impossible qu'Edward Mortensen ait été effectivement le père de Marilyn. Certains observateurs croient plutôt, cependant, que le père était un confrère de travail de Gladys qui ne l'épousa jamais. Quoi qu'il en soit, c'est à l'âge de 16 ans, au moment où elle fit une demande pour un permis de mariage, que Marilyn apprit, pour la première fois, qu'elle était une enfant illégitime et que le nom du père, donné lors de l'établissement du certificat de naissance, était celui d'Edward Mortensen, qui s'était tué dans un accident de moto quand Marilyn avait trois ans.

La famille de Gladys avait une longue expérience des maladies mentales: les deux grands-parents, ainsi qu'un de ses frères, avaient dû subir des traitements psychiatriques, tandis que l'un de ses oncles s'était suicidé. Avec pareille histoire médicale dans sa famille, sa malchance avec les hommes et la nouvelle responsabilité de Norma Jean, il ne faut pas se surprendre que Gladys ait été en proie à de violentes crises d'hystérie.

Quand Norma Jean eut atteint l'âge de huit ans, sa mère fut internée, et on se mit à la traiter comme si elle n'avait pas eu de parents vivants. Elle devint une pupille sous tutelle judiciaire et, pendant des années, les agences de bien-être du comté de Los Angeles se la renvoyèrent comme un ballon.

Norma Jean Baker demeura successivement chez une tutrice, dans un orphelinat et chez plus de onze parents nourriciers. Nous sommes, à cette époque, dans le plein des années de la grande dépression; le gouvernement encourageait les parents à accepter chez eux des enfants-problèmes en échange d'une subvention mensuelle de 20 $. Dans l'un de ces «homes», la petite Norma vit pas moins de 13 de ses frères et sœurs de lait arriver ou repartir. Dans un autre, elle était la septième à se laver, une fois que les six autres enfants du couple se soient baignés, et encore dans la même eau usée.

Elle se souvint, plus tard, que ces couples-nourriciers «avaient leurs propres enfants et lorsque venait Noël, tous recevaient leurs cadeaux sous l'arbre sauf... moi! L'un de ces enfants m'avait donné, ce Noël-là, une orange pour me consoler. Je me souviens trop bien de cette nuit où je mangeais mon orange toute seule dans mon coin.»

Comme Norma Jean était assez développée pour ses huit ans, sa joliesse lui attira, dès ce moment, des problèmes extrêmement déplaisants. Chez un couple qui la gardait pour 20 $ par mois et qui dirigeait une maison de pension, un vieillard qui vivait là, et qui semblait respectable, l'amena à l'écart pour «jouer à un jeu»: il se livra plutôt à des actes indécents, puis il lui offrit .05 $ pour qu'elle n'en parle à personne. Elle le mentionna à ses tuteurs qui lui administrèrent une gifle séance tenante pour la punir de raconter des mensonges. Ce fut à partir de ce moment qu'elle commença à bégayer...

Sa mère put quitter l'institut psychiatrique et elle repris Norma avec elle. Mais ce fut de courte durée. De nouveau, la folie s'empara de Gladys qui fut renvoyée dans un orphelinat où elle lavait les toilettes, et où on lui remettait .05 $ par mois pour laver des centaines d'assiettes.

À dix ans, Norma avait atteint presque sa grandeur adulte. Ses compagnons de classe la trouvaient si mince qu'ils la surnommaient «Norma Jean, the Human Bean». Dans les petites pièces de théâtre, elle incarnait toujours les rôles masculins, à cause de sa taille. À onze ans, une amie intime de sa mère, Grace McKee Goddard, accepta de s'en occuper et envoya Norma chez une tante, Ana Lower, à Sawtelle, un ghetto de Los Angeles. Encore une fois, Mme Goddard vint la sauver de cette horreur urbaine et la prit avec elle dans sa maison où Norma allait demeurer cinq ans, le seul moment de son enfance où elle ressentit une certaine sécurité. Mais ce bienfait moral arrivait trop tard pour l'enlever à son passé morbide: sa vie ne lui offrait aucune structure solide, elle était aux prises avec l'hostilité, l'anxiété et la confusion générale.

À treize ans, Norma avait toutes ses formes féminines, et elle exerçait sa précocité sur les garçons qui ne manquaient pas de la reluquer au Van Nuys High School: elle avait trop besoin d'affection pour se passer de leurs regards; elle s'assura de ne plus perdre leur attention. C'est probablement à partir de ce moment-là que Marilyn brouilla les pistes de son subconscient, et ne sut distinguer ce qui démarquait l'intérêt sexuel de l'intérêt personnel, confondant automatiquement sa personnalité avec sa sexualité dans une quête éternelle. Sa vie ne suffira plus à trouver les bonnes réponses qui étaient pourtant enfouies en elle-même, par ailleurs. Pour calmer ses peurs et son angoisse existentielle, elle ne trouvera pas d'abri efficace; elle se réfugiera plutôt sous le parapluie illusoire de l'alcool et des barbituriques.

Norma Jean quitta l'école secondaire assez tôt car les Goddard déménageaient en Virginie de l'Ouest... sans elle. Afin de lui éviter à nouveau l'orphelinat, Mme Goddard arrangea un mariage à la sauvette avec le fils d'un de ses voisins, James Dougherty, âgé de vingt et un ans, et la cérémonie eu lieu le 19 juin 1942, même pas trois semaines après son seizième anniversaire de naissance. Ils se marièrent au 432, South Bentley, à West L.A. Si ce fut un mariage de convenances, la principale intéressée ajouta quand même, par la suite, «qu'il y avait eu d'autres considérations comme le fait d'être amoureuse, de l'amour ou encore de la sexualité». Leur première nuit et les premiers mois du mariage se passèrent dans un appartement d'une seule pièce, situé au 4524, Vista Del Monte, à Van Nuys. Avant de partir pour l'Europe, où la guerre faisait rage, avec la marine marchande, Jim Dougherty essaya de faire de Norma Jean une ménagère... avec le succès que vous imaginez! Jim crut, à tort, qu'elle était heureuse dans ce rôle et qu'elle était follement amoureuse de lui au point de menacer de se jeter en bas du quai de Santa Monica si jamais il la quittait. Mais la ménagère en question s'ennuyait à mourir. C'est au cours de cette courte union que prirent forme ses premières pensées destructrices: l'univers fermé de Jim l'étouffait, elle n'en pouvait plus de lui faire cuire ses satanées carottes et ses sacrés petits pois à chaque repas. Et puis, il était si jaloux, lui faisant continuellement des reproches sur sa façon de s'habiller, surtout sur ces chandails moulants qu'elle adorait porter parce qu'ils la mettaient en valeur... trop, au goût de son époux.

Mais en 1944, le jeune mécanicien d'avion était parti outre-mer, et elle avait trouvé un emploi à la Radio Plane Corporation, une manufacture de pièces d'avionnerie dont elle vaporisait les fuselages avec une peinture en atomiseur. Norma Dougherty n'allait pas longtemps passer inaperçue à l'usine... David Conover, un photographe militaire, prenait à cette époque des clichés des Américaines qui soutenaient l'effort de guerre au pays, et les publiait dans le magazine *Yank*. Norma adorait poser. Elle allait prouver être le rêve de tout photographe: elle accepta de devenir modèle pour 5 $ l'heure et uniquement si les photos étaient vendues à des magazines... ce qui n'allait pas tarder.

Au départ de Jim, elle était retournée vivre chez ses beaux-parents à Van Nuys, ce qui ne l'emballait pas, mais, au moins, elle connaissait le coin, son travail partiel de modèle lui assurait une toute petite indépendance, enfin, son nouveau travail chez Douglass, où elle pliait des parachutes, n'était pas très fatigant. Bientôt, elle se mit à dépenser tout l'argent que lui envoyait Jim, à des toilettes et à des cosmétiques. Chaque fin de semaine, elle paradait en maillot de bain entre les plages d'Ocean Park et de Santa Monica.

Finalement, avec l'aide de photographes comme David Conover et André de Dienes, Norma obtint une belle exposition dans les magazines. Il fut même un mois, en 1946, où elle ne fit pas moins de cinq pages des couvertures! Conover l'avait présentée à Emmeline Snively, la fondatrice de l'agence de mannequins «Blue Book Models School», à la suite de plusieurs apparitions dans des magazines «pour hommes seulement», l'un de ceux qui allaient bientôt attirer l'attention de nul autre que Howard Hughes.

Les photos de Conover — qui était fortement épris de Norma — dégageaient une aura de sensualité tout à fait différente de ce qui se faisait alors, et c'est cet effet charnel qui avait permis le rendez-vous avec Miss Snively. C'est cette dame qui est d'ailleurs responsable de l'allure de M.M. telle que nous l'avons connue: elle lui conseilla de se faire défriser la tête et de se blondir les cheveux. La jolie brunette qu'était Norma hésita beaucoup avant de suivre cette suggestion mais quand elle se vit assurée d'obtenir plus de contrats en se décolorant et en se coupant les cheveux, elle accepta, malgré la crainte de ne pas faire «naturel»: «Vous ferez une blonde extraordinaire», lui avait garanti Miss Snively. Et elle avait ajouté que son nez était trop rond (il fallait donc sourire en baissant légèrement la tête), une imperfection que Marilyn allait corriger plus tard au moyen d'une légère chirurgie plastique. Mais à ce moment-là, il n'en était pas question: elle ne pouvait même pas payer les 100 $ requis pour suivre les trois mois de cours de «modeling» de Miss Snively qui lui fit crédit, bien sûr, car elle estimait Norma Jean «vendable.»

Les coiffeurs-stylistes Franck et Joseph procédèrent donc à la métamorphose redoutée. La permanente défrisante et le blond doré conquirent cependant rapidement Norma qui se jugea d'accord avec sa nouvelle tête. Elle ne pensait plus qu'à sa nouvelle vie. Ses ambitions cinématographiques eurent tôt fait de mettre un terme à son union maritale. Sentant le besoin impérieux de voler de ses propres ailes, elle avait quitté sa belle-famille et loué un petit meublé, après avoir divorcé d'avec Jim (à qui elle laissa une vieille Ford et un vieux tourne-disque) à Reno, au Nevada. Maintenant, ce n'était plus les hommes de la base de Santa Catalina, où travaillait son ex-mari, qui la sifflaient, mais bien les hommes de toute l'Amérique: après Michaël Wolf, qui la faisait poser, en déshabillés de charme, à raison de 10 $ l'heure, c'étaient tous les photographes qui se l'arrachaient, et sa photo paraissait, chaque semaine, dans une diversité de magazines.

C'est dans l'un de ceux-ci qu'un excentrique milliardaire, intensément attiré par les poitrines fortes, la remarqua et l'invita à aller fêter l'Indépendance en sa compagnie, le 4 juillet 1946. Howard Hughes essaya d'obtenir un rendez-vous avec cette nouvelle étoile sensuelle mais, pour l'obtenir, il dut promettre un essai cinématographique à Miss Snively qui, connaissant le fin renard, préféra utiliser son nom pour décrocher un autre essai, plus sérieux celui-là, à la Twentieth Century-Fox.

Si le bout d'essai n'eut pas lieu à la R.K.O., dont Hughes était propriétaire, cela n'empêcha pas le milliardaire de rencontrer et même de faire déshabiller Norma Jean, fort impressionnée par la légende naissante de celui que ses amis lui décrivaient comme le plus puissant homme d'affaires des U.S.A. Mais Norma n'avait pas compris cet homme bizarre, qui l'avait fait venir dans sa luxueuse villa de Palm Springs, et qui s'était aussitôt défilé, pour affaires, alors qu'il lui avait demandé de venir sans maquillage et la chevelure tirée en une grosse tresse, ce qu'elle avait fait. Et elle reçut en cadeau d'adieu un petit joueur de flûte en verroterie monté sur broche!

Quoi qu'il en soit, entretemps, Miss Snively avait pris un agent pour Norma et obtenu un bout d'essai de douze minutes, sans dialogue et en couleur, avec Ben Lyon, le directeur de la production de la Fox, et Leon Shamroy, un opérateur. Comme ce test fut fait sans l'autorisation de Darryl Zanuck, une désobéissance formelle aux règles établies par le grand patron du studio, il fallut vraiment que Norma impressionne!

Effectivement, Leon Shamroy était étonné de l'effet physique de Norma, qui lui rappelait vaguement celui de Jean Harlow. En accord avec Ben Lyon, il glissa le bout de film avec les autres projections d'essai en fin de bobine, que le grand «boss» allait visionner le lendemain. C'était le 26 août 1946. Darryl Zanuck était de l'avis de Shamroy qui disait de Norma qu'on avait l'impression de pouvoir la toucher en tendant la main (une remarque qu'on attribua par la suite au réalisateur

Billy Wilder qui ne faisait que la répéter), et il demanda à Ben Lyon de la mettre sous contrat, avec la clause qu'elle devait changer son prénom pour celui de Marilyn.

La petite histoire prétend que ce prénom fut choisi en hommage à la chanteuse-danseuse et actrice Marilyn Miller, une star des «Broadway Musicals» des années 20, décédée en 1936. Elle fut réincarnée par June Haver en 1949 dans le film *Look for the Silver Lining* et, auparavant, en 1946, par Judy Garland dans *Till the Clouds Roll By*. Je serais personnellement porté à croire à ce fait, en raison d'une simple coïncidence qui, au fond, ne veut peut-être rien dire: Marilyn joua à titre de figurante dans un premier film en 1947, *Scudda Hoo! Scudda Hay!*, dont la vedette était nulle autre que June Haver qui, deux ans plus tard, allait faire le portrait de Marilyn Miller pour la Fox. Chose étrange pour quelqu'un dont on s'inspira pour donner un prénom «artistique» à Norma, Marilyn Miller mourut empoisonnée, à l'âge de 37 ans, presque au même âge que M.M.

Norma Jean Mortensen Baker venait d'hériter d'un prénom, Marilyn; quel serait son nom maintenant? C'est sa tante Grace qui lui suggéra d'emprunter le nom de jeune fille de sa mère, Monroe. Marilyn Monroe était née. Et elle disposait d'un contrat d'un an lui garantissant 125 $ par semaine, à l'instar de douzaines d'autres starlettes avec qui Marilyn allait apprendre le stress de la compétition et les terribles jalousies des femmes du show business...

La Fox avait délégué son agent publicitaire, Roy Craft, pour interviewer Marilyn et pour découvrir des éléments de son histoire que l'on pourrait faire connaître au public qui, à cette époque, gobait à peu près tout ce que la machine publicitaire hollywoodienne concoctait.

Les antécédents de Marilyn rappelèrent à Craft le conte de Cendrillon et il se chargea de faire connaître, avec émotion, l'histoire touchante de l'orpheline solitaire. Mais l'année passa sans qu'on s'intéresse à elle; et la Fox, qui était obnubilée par sa grande vedette, Betty Grable, ne lui offrit rien d'autre qu'un rôle de figuration dans *Scudda Hoo! Scudda Hay!* où elle ne disait qu'un seul mot, «HI» (bonjour), lequel resta d'ailleurs sur le parquet de la salle de montage! Entretemps, Marilyn s'était endettée, mettant tout son argent sur des vêtements qui ne lui servaient qu'à ses sorties avec son amant de l'époque, Sydney Skolsky, un bon copain, en somme. Comme les autres starlettes de l'écurie de la Fox, elle acceptait d'aller dîner avec des soupirants insignifiants. Mais c'était uniquement pour se faire payer la bouffe!

La seconde et dernière chance que la Fox lui avait donnée s'était révélée bien mince: un gros plan, dans le rôle de serveuse, dans le film *Dangerous Years* qui fut d'ailleurs distribué avant *Scudda Hoo!*, le 8 décembre 1947. À la fin du contrat, la Fox ne le renouvela pas et elle laissa tomber Marilyn dont le moral était alors bien bas. Elle supplia son agent, Helen Ainsworth, de lui trouver quelque chose, n'importe quoi, pourvu qu'elle puisse s'en sortir.

L'agent à qui Miss Snively l'avait confiée fit diligence et obtint pour elle un autre bout d'essai, cette fois à la Columbia où son attrait joua de nouveau en sa faveur: elle entra dans l'écurie avec la rémunération standard de 125 $ par semaine. Pour subsister jusque-là, elle arrondissait ses fins de mois en servant de modèle, et elle tuait le temps en prenant des cours d'art dramatique à l'Actor's Lab. Avec son nouveau contrat à la Columbia, Marilyn se paya des cours privés avec la répétitrice du Studio, le professeur Natasha Lytess qui l'adopta rapidement et ne tarit bientôt plus d'éloges pour sa nouvelle élève.

La Colombia lui prêta suffisamment l'oreille pour lui confier un bon rôle secondaire dans un «musical» de série «B», intitulé *Ladies of the Chorus,* où elle incarnait une strip-teaseuse et chantait une couple de mélodies dont «Every Baby Needs a Da-Da-Daddy», qu'elle dut répéter souvent, avec le directeur musical Fred Karger, qui allait remplacer Skolsky dans son cœur mais avec beaucoup plus d'emphase.

C'est à cette époque que Marilyn déménagea ses pénates au Studio Club, devenu, depuis, un maillon de la «Young Women Christian Association». Mais quand M.M. y emménagea, le 3 juin 1948, l'endroit était célèbre sous le nom «The Hollywood Studio Club». Il avait été dessiné par Julia Morgan, l'architecte en chef du fameux palais de William Randolph Hearst, à San Simeon, et, depuis 1926, il était reconnu comme le «home» de toutes les jeunes femmes qui, de partout aux États-Unis, venaient s'installer à Hollywood. Ainsi, parmi celles qui vinrent y vivre et qui y connurent le succès, nous retrouvons Linda Darnell, Donna Reed, Evelyn Keyes, Janet Blair, Gale Storm, Florence Henderson, Dorothy Malone, Barbara Eden et Kim Novak. Ce n'est donc pas M.M. qui rendit l'endroit célèbre... Marilyn y loua la chambre 307 qu'elle partageait avec une amie, pour la modique somme de 12 $ par semaine; plus tard, quand elle en eut les moyens, elle loua la chambre 334 et y vécut seule. C'est Karger qui l'avait fait entrer là et qui lui procura une vieille Ford décapotable.

Le 23 octobre 1948 parut, dans le *Motion Picture Herald,* la première critique sur Marilyn pour son rôle dans *Ladies of the Chorus*. L'encourageante critique se lisait ainsi: «Les meilleurs moments du film viennent avec l'apparition de Miss Monroe quand elle chante. Elle est jolie et, en plus, elle a du style et une voix plaisante. Elle promet.»

La Columbia n'était pas de cet avis: deux mois auparavant, à l'instar de la Fox en 47, elle laissa tomber Marilyn qui remit toute sa carrière en question.

Marilyn n'en voulut pas à la Columbia car elle se trouvait elle-même bien mauvaise. Pour boucler son budget, elle retourna de nouveau à la pose, mais les temps étaient durs.

Un fait plus connu, maintenant. Un mois avant la parution de sa première critique et un mois après son départ forcé de Columbia, Marilyn était si désespérée qu'elle travailla pendant une quinzaine comme strip-teaseuse au Mayan Theatre, au 1044, South Hill Street, dans le centre-ville de Los Angeles. La coïncidence n'est-elle pas étrange! Quelques mois auparavant, Marilyn tournait son premier vrai rôle dans *Ladies of the Chorus* où elle incarnait une strip-teaseuse, et voilà que dans la vraie vie, pour assurer sa subsistance, à peine sortie du film, elle doit s'engager comme strip-teaseuse ou, du moins, le croit-elle. Pas longtemps toutefois... Elle ne resta que deux semaines dans cet établissement un peu bizarre qui présentait également, sur son écran, des films étrangers. Au début, on y annonçait le spectacle de Marilyn Monroe qui, cependant eut bientôt peur que cet engagement imprévu nuise à la carrière cinématographique dont elle rêvait; aussi, pendant quelques jours, elle se fit annoncer sous le nom de Marilyn Marlowe; mais sa beauté était si appréciée que lorsqu'elle quitta l'établissement, on la surnommait Mona Monroe.

Décidément, septembre avait bien mal commencé pour elle: Karger venait de la larguer aussi, sous prétexte qu'elle aurait fait une bien mauvaise mère (il était divorcé et considérait les femmes incapables d'un amour authentique!) pour son fils, de six ans. Marilyn, qui le prit très mal, tenta d'en finir avec la vie une première fois. Elle se sentait seule, terriblement seule et elle avait faim. Elle décida qu'elle ne serait plus jamais amoureuse et se mit à suivre l'exemple des autres starlettes qui sortaient avec de «vieux» nababs et se faisaient combler de cadeaux.

L'un de ces vieux était Joseph Schenck, 60 ans, président de la Fox, qu'elle avait rencontré au cours d'une soirée. Il était fou d'elle et l'invitait partout; mais Marilyn se refusait à faire l'amour avec lui: l'homme ne l'attirait pas, et elle aimait trop faire l'amour pour s'y adonner avec un compagnon qui lui répugnait. Mais Schenck connaissait, par Skolsky, la piètre position de Marilyn, et il chercha à l'aider, en s'adressant à son confrère, le sinistre Harry Cohn, président de la Columbia. Ce dernier accepta de la recevoir et lui demanda, sans se gêner, de passer le week-end avec lui, sur son yacht. Marilyn refusa et Cohn lui indiqua que c'était Schenck qui l'avait prié de lui trouver quelque chose; puis, il lui suggéra de reconsidérer son invitation. Mais Marilyn partit, le cœur gros, se disant qu'elle pourrait se passer d'eux.

Elle était comme ça notre Marilyn: elle refusait de vendre son amour; à cet égard, son attitude fut constante sa vie durant, comme on le verra. Elle était prête à se donner gratuitement à qui lui plaisait, mais il n'était pas question de se vendre, même à celui qui pouvait lui garantir la carrière dont elle ne faisait que rêver.

Déboussolée, elle sortit de la Columbia en pleurs pour se rendre compte que sa voiture avait disparu. Elle n'avait pas été aussi désemparée depuis le 13 septembre 1935, date où, à l'âge de neuf ans, on l'avait admise au Los Angeles Orphans' Home: les infirmières avaient dû la pousser, littéralement, à l'intérieur de l'institution pendant qu'elle criait: «Je ne suis pas une orpheline! Je ne suis pas une orpheline!» Elle devait y rester 21 mois... qui ne furent jamais oubliés!

En sortant de chez Cohn, elle n'avait plus que trente sous en poche et bien peu d'espoir. Il lui fallait absolument gagner sa pitance: elle consulta son carnet d'adresses et tomba sur le nom de Tom Kelley, un photographe qu'elle n'avait pas revu depuis longtemps. Or, justement, Kelley avait besoin d'un modèle qui accepterait de poser nue pour un calendrier. Marilyn avait besoin des 50 $ qui lui étaient offerts et quand Tom lui assura que c'était le genre d'article qui se retrouverait sur le mur des garages, elle se rendit dans la petite villa de stuc rose de la rue Servard. C'était le 1er mai, 1949.

Kelley, qui avait étendu du velours rouge par terre, demanda à Marilyn de s'y étendre. Elle ne se sentait pas intimidée de se livrer ainsi, sans la moindre protection, à la vue de Kelley parce que ce n'est pas à lui qu'elle s'offrait mais à l'objectif, qui représentait le désir de milliers d'hommes inconnus qui l'admireraient sans pudeur. Marilyn avait souvent fait un rêve dans lequel elle traversait, sans voile, une cathédrale; étendue nue sous les projecteurs de Tom, elle eut l'impression de réaliser son rêve. Kelley travaillait comme un professionnel; rien ne venait entraver l'exhibitionnisme qui respirait librement, pour la première fois peut-être. Elle exultait; elle voyageait ainsi en pleine puissance, sûre de son pouvoir de séduction, rayonnante d'une sensualité magique. Et grâce à Kelley, elle n'avait pas l'impression de faire quelque chose de sale, mais d'exécuter une œuvre, et de se soumettre aux souhaits imprévisibles du destin.

Tom Kelley reçut 400 $ pour son agréable tâche, mais la maison pour laquelle il travaillait toucha, au cours des ans, 250 000 $. Quant au calendrier original, il fut vendu aux enchères, en 1975, 200 $, chez Sotheby Parke Bernet, comme une des «Important 19th and 20th Century Photographs». Le fameux calendrier s'était vendu à 1 000 000 d'exemplaires! Chez Tom, Marilyn venait de se faire photographier à l'âge (elle avait encore 22 ans) où son corps était le plus parfait. Et elle venait de passer à l'histoire.

Mais ce n'est pas à ça qu'elle pensait ce soir-là. Elle avait faim, terriblement faim et se dirigea chez Schwab's pour s'offrir un sandwich. Schwab's est un drugstore situé (encore aujourd'hui) sur le Sunset Boulevard. C'est là qu'un rédacteur du *Hollywood Reporter* est supposé avoir repéré Lana Turner, qui y faisait l'école buissonnière, buvant un soda, un chandail serré mettant en valeur ses atouts. La légende veut que le rédacteur en question l'ait référée au réalisateur Mervin LeRoy avec les résultats que l'on sait. Depuis ce temps (et à tort, car, entre nous, la poitrine de celle qui s'appelait, à l'époque, Julia Jean, avait été remarquée à quelques pas du Schwab's, dans un endroit obscur, même si le crédit du lieu de la découverte alla au Schwab's), tout le petit gratin d'Hollywood qui rêvait de gloire se tenait chez Schwab's; celle qui s'appelait, il n'y avait pas si longtemps, Norma Jean ne faisait pas exception (c'est Skolsky qui lui avait fait connaître l'endroit), espérant connaître un sort similaire à celui de Julia Jean.

Mais la chance ne l'avait pas totalement abandonnée ce soir-là. Par hasard, elle entendit, pendant qu'elle mangeait, quelqu'un parler de la sensuelle blonde que recherchait Groucho Marx pour son prochain film, *Love Happy*. Le lendemain, elle s'assura d'une audition et tomba immédiatement dans l'œil de Groucho qui l'engagea sur-le-champ. On prétendit qu'il avait écrit des dialogues spécialement pour elle. Pourtant, il ne s'agissait que d'une figuration qui ne durait d'ailleurs que 90 secondes.

Tout de même, *Love Happy* lui valut une tournée qui la mena jusqu'à New York, pour la première fois; et comme la fille était belle et qu'elle plaisait aux photographes, Lester Cowan, le directeur des relations publiques de la compagnie cinématographique, la présenta comme une vedette. Son premier contact avec New York fut immédiatement chaleureux (un peu trop même, car la naïve Marilyn, croyant l'est glacial au mois d'août, n'avait apporté que des vêtements laineux, alors que la métropole américaine connaissait une forte vague de chaleur); elle y retrouva son photographe André de Dienes, qui l'amena à Jones Beach pour une séance en maillot de bain. Au moins, avec cette tournée, Marilyn pouvait manger à son aise, se faire un petit capital publicitaire et visiter New York, où elle logeait dans un élégant hôtel de la 59e Avenue.

À son retour en Californie, Los Angeles était en vacances; personne, de sérieux, n'était actif dans l'industrie. Pourtant si: elle apprit par hasard que le seul homme qui lui ait jusqu'alors profondément plu, Fred Karger, venait d'épouser l'actrice Jane Wyman.

Marilyn broyait du noir; et ce n'est pas sa courte apparition dans *A Ticket to Tomahawk* (un petit western tourné en vitesse par la Fox, où elle se montrait, dans le chœur, le temps d'un numéro), qui pouvait lui remonter le moral. Marilyn se sentait horriblement seule. Elle savait qu'elle aurait besoin d'un homme pour traverser la crise. Nous sommes à la fin de 1949, l'«ange» est sur le point d'apparaître!

La sexualité fait partie de la nature. Et je m'entends bien avec la nature.

Marilyn Monroe

L'ASCENSION ET LA CHUTE D'UN «SEX-SYMBOL»

L'ennui avec les censeurs, c'est qu'ils s'en font quand une fille a une échancrure au corsage. Ils devraient s'en faire si elle n'en a pas.
Marilyn Monroe

Elle songeait probablement à son amie de dernière instance, la Mort, quand un groupe d'amis la pria de venir avec eux, pour le week-end, à Palm Springs, où ils avaient loué une maison. Marilyn accepta, pour se changer les idées. Puis, de fil en aiguille, elle se retrouva à une partie autour d'une piscine où des gens influents de l'industrie étaient venus se détendre.

Parmi eux, il y avait l'ange, «son ange». Il la remarqua aussitôt et ne la quitta plus des yeux: il avait la cinquantaine bien sonnée et une réputation en or à Hollywood où on le respectait comme l'un des agents les plus importants de la William Morris, pour ne pas dire son vice-président, Johnny Hyde.

Marilyn considéra celui qui gérait la carrière de Lana Turner, de Rita Hayworth et d'Esther Williams, mais elle sut immédiatement qu'elle ne pourrait lui rendre l'amour qu'il lui offrait: il était petit, et elle n'aimait pas les hommes petits. Et l'on connaît l'honnêteté sexuelle de Marilyn: elle ne commettrait jamais plus la bêtise d'épouser quelqu'un qu'elle n'aimerait pas. Un seul Jim Dougherty dans sa vie suffisait!

Elle confia plus tard à son premier biographe, Maurice Zolotow, qu'elle avait infiniment de respect pour

Hyde: «il croyait en moi, il croyait en mon talent. Il m'écoutait quand je parlais et il savait m'encourager. Il me disait que je deviendrais une très grande vedette.»

En fait, il alla beaucoup plus loin que ça: il lui offrit de s'occuper de sa carrière 24 heures par jour. Il expliqua à Marilyn qu'il était très malade du cœur et qu'il ne lui restait pas longtemps à vivre. Son seul désir était de la marier, ce qui aurait fait d'elle l'héritière légitime d'une fortune évaluée à 1 000 000 $.

Mais Marilyn allait résister jusqu'au bout. Elle allait devenir la maîtresse de Johnny, qui était marié, mais elle ne deviendra pas sa femme, elle ne cédera pas au million. Elle accepta pourtant ses cadeaux, l'appartement qu'il choisit pour elle, le luxe dont il l'entourait, parce qu'elle avait réellement beaucoup d'estime pour lui.

Après une autre crise cardiaque, Johnny Hyde demanda une troisième fois à Marilyn de l'épouser, mais en vain. Quand il mourut, elle devint hystérique; aux funérailles, elle se jeta en pleurant sur sa tombe. À l'église, la famille de Hyde avait refusé de lui laisser une place au premier rang, avec eux.

Avant de mourir, Johnny Hyde avait arrangé, par l'intermédiaire d'un ami producteur à la Metro-Goldwin-Mayer, une entrevue pour Marilyn avec John Huston. Cet ami, Arthur Hornblow Jr., lui assigna le rôle d'Angela dans *The Asphalt Jungle* où elle incarnait la nièce de Louis Calhern.

Ce rôle vit la tranquille mutation de Norma Jean Mortensen-Baker-Dougherty en Marilyn Monroe qui considéra, plus tard, que c'était le meilleur rôle de sa carrière. Les critiques furent excellentes, et, dans tous les visionnements, des centaines de cinéphiles demandaient: mais qui est donc cette blonde, avec Calhern?

On avait, en effet, oublié d'inscrire son nom au générique! La presse commença à lui accorder l'attention, mais le chef de la production de M.G.M., Dore Schary, qui trouvait qu'elle n'avait pas l'air d'une vedette de cinéma, ne la mit pas sous contrat: la M.G.M. avait une autre blonde dont elle devait s'occuper, Lana Turner.

Marilyn avait pourtant travaillé fort pour décrocher ce rôle: elle avait répété mille fois avec Natasha Lytess, et aussi avec Lucile Ryman, pour se «polir». Quand elle s'était présentée au studio de Culver City pour auditionner devant le rude John Huston, elle s'était mis des chiffons pour augmenter la protubérance de sa poitrine; aussitôt, cependant, le réalisateur avait plongé une main dans son corsage pour retirer ces chiffons ridicules: «répétons maintenant», avait-il dit. Et il sut immédiatement que Marilyn correspondait parfaitement au caractère de cette nièce qui devenait la maîtresse de son oncle.

Si la M.G.M. ne l'avait pas engagée, il y avait quand même quelqu'un de très important qui l'avait remarquée dans le film *Quand la ville dort:* Joseph Mankiewicz, le scénariste-metteur en scène de la Fox, qui venait de découvrir le personnage débordant de sensualité qu'il recherchait pour son film *All about Eve.* Enfin, il tenait «Miss Caswell»...

Pour Marilyn, cela équivalait à entrer dans la ligue majeure: elle allait donner la réplique à George Sanders (qui la flirta, sans succès, à l'époque où il était marié à Zsa-Zsa Gabor), et partager l'affiche avec Bette Davis et Anne Baxter, deux formidables «performers» de l'écran. Le défi effraya Marilyn qui dut se faire soigneusement calmer par le réalisateur. Mais c'est avec ce film qu'elle commença à prendre du retard sur son horaire, et à exiger de nombreuses prises, 25, dans le cas d'une courte scène, où elle n'avait que quelques lignes à mémoriser!

Mais les résultats furent excellents. On apprécia sa performance comme diplômée du «Copacabana School of Dramatic Art», car elle était en même temps drôle et fort réaliste. Zanuck fut à nouveau impressionné et ordonna à son personnel de la mettre sous contrat.

Malgré ces deux films de première importance, Marilyn ne fit pas grand-chose en 1950. Sa filmographie ne s'enrichit que de deux participations sans importance, l'une avec Mickey Rooney, dans *The Fireball*, l'autre avec Dick Powell, dans *Right Cross*. La Fox l'avait sous contrat mais ne semblait pas trop savoir que faire d'elle... Marilyn étudiait l'art dramatique, prenait des leçons de gymnastique et faisait des photos publicitaires. Parfois, elle songeait vaguement à ce grand intellectuel à lunettes, dont elle avait fait la connaissance avec Elia Kazan sur le plateau d'*Eve:* Arthur Miller.

Mais voilà que l'Amérique se retrouvait en pleine guerre de Corée et que l'industrie des photos de pin-up roulait, de nouveau, à pleine vapeur. Marilyn posa encore en maillot de bain, sa tenue favorite, et bientôt, des milliers de lettres lui furent adressées, à la Fox. À nouveau, l'Amérique épinglait Marilyn sur tous les murs. Au début, Zanuck crut que tout cela venait de quelqu'un qui, intra-muros, voulait mousser la carrière de Marilyn, mais il dut se rendre à l'évidence: sa protégée ne devait apparaître dans aucun film, mais elle était plus demandée que les vedettes les plus populaires. Il lui fit signer un contrat de sept ans débutant en mai 1951, au salaire de 500 $ par semaine, avec une échelle mobile semi-annuelle plafonnant à 1 500 $ par semaine. Sa véritable carrière allait bientôt pouvoir démarrer. Mais pas tout de suite, pas avant 1953, l'année où elle joua dans *Niagara,* car le studio ne savait pas encore trop quoi faire avec sa populaire blonde. L'ordre de Zanuck avait été de lui faire faire n'importe quoi, en comptant simplement, pour faire des gains, sur sa présence à l'écran. Tout film qui exigeait une secrétaire «sexy», ou une blonde un peu bête fut donc offert à Marilyn, qui apparut ainsi comme l'irrésistible belle fille des comédies mineures, telles que *Love Nest,* avec June Haver, *Let's Make It Legal,* avec un nouveau venu, Robert Wagner, *We're Not Married,* ou encore *As Young As You Feel.* Mais 1951 marqua l'année où Marilyn remporta le prix Henrietta pour la personnalité la plus prometteuse de l'année; c'est en 1951 aussi qu'elle participa, pour la première fois, à la soirée des Oscars, où elle remit le trophée de la meilleure prise de son à Thomas Moulton pour le film *All about Eve.*

1951 fut encore l'année où Marilyn fut prêtée à la RKO par Fox pour jouer son premier rôle dramatique dans *Clash by Night* de Fritz Lang. Pour la première fois, on lui accordait le même crédit qu'aux stars Barbara Stanwick et Paul Douglas, et c'est à elle qu'on fit surtout attention. Quand Douglas se plaignit à Barbara que les photographes n'en avaient que pour M.M., elle lui répliqua: «Voici comment ça se passe, Paul... Elle est plus jeune et plus belle que n'importe qui parmi nous!» Ce fut la première fois, également, qu'elle amena sur le plateau son professeur d'art dramatique, Natasha Lytess, et demanda à reprendre des prises selon le jugement de Natasha et indépendamment du réalisateur Lang qui, offusqué, exigea que Natasha quitte le plateau. Marilyn refusant de travailler dans ces conditions, on fit un compromis: Natasha resterait, mais ne contredirait jamais les directives du metteur en scène! Ce n'était là qu'une petite bataille comparée aux chocs que cette attitude de Marilyn allait provoquer sur d'autres plateaux. Dans ce cas-ci, sa réputation dans l'industrie n'en souffrit pas trop et son insécurité lui valut les meilleures critiques de sa carrière.

À la fin de 1951, il était évident aux yeux de tous que M.M. était sur le point de devenir une star de première grandeur. Elle apparaissait alors sur la première page du *Stars & Stripes*, le journal des militaires, tous les jours, à la semaine longue, et quand on était à court de photos publicitaires de Marilyn, on en republiait d'anciennes.

C'est au début de 1952, alors qu'elle filmait *Don't Bother To Knock* dans son rôle jusqu'alors le plus dramatique (celui d'une gardienne d'enfants psychopathe), que se déclencha un scandale autour d'elle. Un journaliste venait de reconnaître, dans l'un des films de Marilyn, la fille nue du calendrier rouge. La presse s'empara immédiatement de l'affaire et le studio, pris de panique, tenta d'étouffer le scandale et suggéra fortement à Marilyn de tout nier. Cherchant conseil, cette dernière résolut d'avouer la vérité: «J'étais cassée et j'avais faim, dit-elle. Je n'ai pas honte de mon geste car je n'ai rien fait de mal.» Presque en même temps, une femme, internée dans un asile, piqua une crise en criant qu'elle était la mère de Marilyn; cette affaire fit également vendre bien des quotidiens et des magazines. Le studio décida alors de mettre la carrière de Marilyn en sourdine en attendant que l'orage passe. Pourtant les directeurs avaient tort: le passé de M.M. en faisait une Cendrillon, un être vulnérable et touchant. Quant au calendrier, il confirma officiellement que Marilyn, dont il rendit les initiales célèbres, était «le» sex-symbol des années 50, et que le pouvoir de son corps sur les foules dépassait celui de toute autre.

L'ascension de Marilyn devenait irrésistible, et la Fox comprit vite le message que lui renvoyait le public: à partir de 1953, on confierait à M.M. des rôles à sa hauteur; la rentabilité de la pouliche n'était plus mise en doute.

Mais il restait à compléter tout de même le programme de 1952, qui comprenait deux autres films de série «B», *O'Henry's Full House*, un film à sketches, et *Monkey Business*, avec Cary Grant.

Juste avant d'entreprendre le tournage de *Monkey Business*, à l'été 52, Marilyn fit une photo publicitaire au camp d'entraînement d'été du club de baseball Chicago White Sox, en compagnie du lanceur Joe Dobson et du receveur Gus Zernial. Cette photo allait paraître dans les pages sportives d'une multitude de journaux, en particulier dans le journal local où Joe DiMaggio la remarqua immédiatement: «Qui est cette blonde?» demanda-t-il.

L'immortel du baseball connaissait un ami commun, à lui et à Marilyn, David March, à qui il demanda d'arranger un rendez-vous surprise. Et c'est ainsi que Marilyn, qui n'était sortie avec personne depuis le scandale du calendrier, accepta, comme le tournage de *Monkey Business* tirait vers la fin, le rendez-vous avec cet inconnu dont elle ignorait jusqu'au nom, car elle n'entendait rien au base-ball.

À cette époque, Marilyn vivait seule dans un appartement, au 882, North Doheny, à West Hollywood. Elle arriva deux heures en retard au rendez-vous que lui avait donné Joe, dans un restaurant du Sunset Strip, le Villa Nova (qui s'appelle aujourd'hui le Rainbow Bar and Grill) au 9015, Sunset. Le Villa Nova était déjà célèbre à l'époque parce que c'est là que Vincente Minnelli avait demandé Judy Garland en mariage.

Marilyn n'eut pas le coup de foudre pour DiMaggio et quand ce dernier la rappela, elle lui fit comprendre que toutes ses soirées étaient prises. Il insista à plusieurs autres reprises, mais Marilyn ne céda pas à ses avances discrètes.

C'est sur le plateau qu'elle entendit parler élogieusement de DiMaggio; elle se rendit compte qu'il était loin d'être n'importe qui! Comme il avait cessé de la rappeler, c'est elle qui donna le coup de fil. La deuxième rencontre se passa beaucoup mieux et, cette fois, DiMaggio eut le courage de parler de lui. Il était le huitième d'une famille de neuf enfants, fils d'un pauvre pêcheur. Il avait commencé à jouer au base-ball en amateur puis il avait joué avec les Yankees de New York où il avait triomphé pendant 15 années consécutives. Maintenant, il s'était retiré avec une rente annuelle de 100 000 $ et il se contentait de faire le commentateur sportif à une émission de télé. DiMaggio était amical et chaleureux, il avait 38 ans, était divorcé et avait un fils de 12 ans. Et il était grand. Marilyn aimait les hommes grands et quand il l'emmena, après le souper, sur la nationale 101, le long de la côte Pacifique, elle se donna à lui, cette nuit-là, dans une petite auberge, non loin d'Escondido Beach, où vit aujourd'hui Geneviève Bujold.

Le tempérament de Marilyn se définit considérablement sur le plateau de *Niagara:* ses caprices se multiplièrent, ses retards s'allongèrent, sa dépendance envers Natasha s'approfondit et son narcissisme se développa. On a beaucoup parlé de ses caprices et de ses retards légendaires, mais on a peu insisté sur l'aspect narcissique de son comportement, que j'estime être une part importante du personnage. *Niagara,* où elle avait son premier rôle de premier plan dans un film majeur, donna une démonstration explicite de cette attitude.

Il y avait une scène dans une chambre de motel où elle sortait du lit pour aller à la salle de bains et y prendre une douche. C'est Marilyn qui insista pour exécuter cette scène dans le plus simple appareil, bien que sa nudité se reflétait dans la porte en miroir de la salle de bains, dès qu'elle l'approchait. Le réalisateur, Henry Hathaway, s'y opposait, sachant qu'un problème de censure surgirait. Finalement, il céda aux demandes de Marilyn. Mais lorque la séquence fut confiée au laboratoire de développement, il fit noircir la pellicule, pour contourner le problème.

Son partenaire, l'acteur Max Showalter, rapporte une anecdote allant dans le même sens. De sa chambre communicante, au Niagara Falls Hotel, il la vit qui se tenait nue devant sa fenêtre, en dessous de laquelle un groupe de mâles ébahis, mais contents, la détaillaient. Marilyn se réfugia alors dans la chambre de Max en se plaignant que les gens ne la laissaient pas tranquille, n'en revenant pas! Décontenancé, Max ne pouvait que lui dire: «Mais voyons, Marilyn, pour l'amour de Dieu, habille-toi!»

Ce que voulait Marilyn, c'était l'attention générale... et l'attention individuelle. À quelques reprises au cours de ce tournage, en pleine nuit, elle courait vers la chambre de Max et entrait dans son lit en lui disant: «Ne fais rien, tiens-moi dans tes bras, tout simplement!»

Il ne reste plus qu'une seule question à se poser: est-ce que Max Showalter était un saint?

Chose certaine, ce comportement de Marilyn, s'il s'explique, ne demeure pas moins unique. Il définit très bien le style de sexualité qu'elle dégageait spontanément et qui émettait une onde de choc exceptionnelle: elle réunissait en une seule et même personne la petite fille et la femme-femme, la victime et l'agresseur, la fraîcheur et le dévergondage. Voilà de quoi attirer bien des loups, sans se mettre à dos les louves: la sexualité de

M.M. avait aussi quelque chose de si peu ordinaire, de si tiré par les cheveux, de si caricatural qu'il s'en dégageait une pointe d'ironie, une certaine joliesse ragoûtante qui semblait saine et qui ne déplaisait pas aux femmes dont elle ne se fit pas des antagonistes. Voilà qui fait beaucoup de monde...

Une chose est certaine, Marilyn était satisfaite de son corps et ne détestait pas le montrer. Quand elle tourna cette scène de nu dans *Niagara*, elle ne pouvait ignorer que le public ne la verrait pas ainsi sur l'écran; elle le faisait donc pour l'équipe technique... et pour elle-même! Elle se sécurisait à l'aide d'un corps en qui elle faisait confiance et qui lui attirait les regards admiratifs d'un public captif. Mais quand il s'agissait de donner ses répliques, cette belle confiance s'évanouissait en fumée; elle écoutait aveuglément Natasha qui profita de ses angoisses pour s'ancrer dans sa vie (DiMaggio la traitait de sangsue!) et qui ne fit probablement pas grand-chose pour la délivrer de son problème car elle se serait trouvée en situation de conflit d'intérêts; je ne crois pas, du reste, qu'elle ait été une sainte, pas plus, que notre «pauvre» ami Max...

Je n'entretiens pas grand doute non plus sur la satisfaction éprouvée par Marilyn lorsqu'elle s'était fait photographier pour «son» calendrier, même si elle ne pouvait pas se douter, à ce moment-là, qu'il obtiendrait pareille circulation («cassée» ou pas, elle aurait probablement refusé dans ces circonstances). Cette attitude se vérifie également dans sa volonté de se montrer nue devant les photographes et devant l'équipe technique de *Something's Got To Give*, dans la séquence de la piscine, alors qu'elle portait un maillot de couleur chair selon le scénario établi. Dans ce cas-ci, nous croyons savoir que Marilyn était satisfaite de retrouver une forme, perdue récemment et retrouvée, apparemment à la suite de son opération de l'appendicite... C'est dans ce même esprit, je crois, qu'elle accepta de poser nue pour Bert Stern.

Il n'est pas sûr que Marilyn ait eu l'instinct de savoir choisir ses rôles ou, quand on ne lui donna pas le choix, comme c'est le cas ici, la capacité d'interpréter un rôle en fonction de sa nature qu'elle ne comprenait pas encore pleinement. Quand Zanuck lui offrit la vedette de *How to Marry a Millionaire,* sous la direction de Negulesco, par exemple, elle crut à une mesquinerie du grand patron de la Fox, et exécra ce rôle de femme myope et stupide, à son avis, dont le visage était mangé par une grosse paire de lunettes en écaille. Mais elle était contente d'aller tourner *La rivière sans retour,* parce qu'elle trouvait Robert Mitchum beau et que le film lui permettait de chanter et de danser, ce qu'elle adorait... N'empêche que ce tournage, réalisé dans les Rocheuses canadiennes, fut un de ses moins bons films.

Mais 1953 s'acheva avec *Comment épouser un Millionnaire,* et fut considérée, autant par le public que par l'industrie, comme étant «son» année. La célèbre chroniqueuse Louella Parsons (qui fut responsable, avec Hedda Hopper, d'une bonne partie du succès publicitaire de la carrière de Marilyn) choisit M.M. comme la «No. 1 Movie Glamour Girl», et c'est en 53 également qu'elle reçut le «Redbook Award» comme «Best Young Box Office Personality». Elle recevait, à ce moment-là, 25 000 lettres des fans par semaine, et elle rapporta au guichet de la Fox pour plus de 25 000 000 $ de tickets d'admission! En un mois, elle fit la couverture de 13 magazines. On lui remit également le «Photoplay Award» de «Fastest Rising Star of 1952», au mois de mars 53, et pour aller chercher son trophée, elle porta l'une des robes de *Gentlemen Prefer Blondes* qui avait sans doute été cousue directement sur elle tellement elle lui collait au corps. Cette robe de lamé qui ne montrait pas grand-chose, mais qui laissait tout deviner, fit scandale et, quoique Marilyn était habituée à se faire traiter de «vulgaire» et d'exhibitionniste, cette cabale lui fit mal au cœur, cette fois-ci, parce qu'elle était menée par une actrice qu'elle admirait beaucoup, Joan Crawford. Ce qui n'arrangeait rien, c'est que Joe DiMaggio était d'accord et refusait d'aller avec elle à un gala, cette robe sur le dos.

Marilyn éprouvait d'ailleurs plusieurs problèmes avec son amant et surtout pour des questions de style de vie. Joe adorait rester à la maison et regarder la télévision ce qui, vous en conviendrez, n'était pas le genre de Marilyn. Mais Joe était également un vieux conservateur dans ses idées sur la femme, et il espérait pouvoir convaincre Marilyn d'abandonner sa carrière et de se transformer en femme de maison, un objectif plus difficile à atteindre, allait-il réaliser, que n'importe quelle victoire au Yankee Stadium. De plus, Joe était chauvin et passablement jaloux, de telle sorte qu'un nombre incalculable de disputes étaient provoquées par les habitudes vestimentaires de sa bien-aimée. Ces discussions animées avaient commencé dès le début de leur relation, durant le tournage de *Monkey Business.* Mais Marilyn avait Joe dans la peau (sans parler d'un certain côté de sa personnalité qui n'aurait pas détesté «s'installer», mais elle s'était battue trop fort et trop longtemps pour renoncer à sa carrière, qui touchait au but), et, le 14 janvier 1954, ils s'épousèrent, à la mairie de San Francisco (où Joe tenait commerce, ce qui expliquera ses nombreuses absences, par la suite), puis ils entreprirent un petit périple en voiture le long de la Pacific Coast

Highway en direction de Palm Springs. Ils passèrent leur nuit de noces au Clifton Motel (aujourd'hui transformé en immeuble résidentiel) au 125, rue Spring, à Paso Robles. Marilyn quitta ensuite le Bel Air Hotel et cohabita avec son nouvel époux (jusqu'à leur divorce), dans une villa de style Tudor au 508, North Palm Drive, à Beverly Hills.

La gloire était venue tard pour Marilyn qui avait déjà 27 ans et qui craignait la vieillesse: sur son acte de mariage, elle avait fait inscrire 25 ans. Le lendemain de leur première nuit, enregistrée à Paso Robles, ils s'étaient réfugiés, pendant 15 jours, dans les montagnes, à 50 milles de Palm Springs, puis ils s'étaient envolés pour Honolulu et pour Tokyo. C'est là qu'un général américain vint trouver Marilyn pour lui demander, au grand déplaisir de Joe, de venir encourager les 100 000 Marines du camp Pendleton, à Séoul, en Corée. C'était plus fort qu'elle: elle brûlait de chanter devant une foule d'hommes qui trépigneraient de désir pour elle. Elle accepta. Geste révélateur, en plein voyage de noces! Comme si, déjà, Joe ne suffisait plus: combien de temps durerait ce mariage? Neuf mois exactement.

Elle étouffa rapidement dans le repaire de Joe, qui lui reprochait constamment une mauvaise tenue de maison, et, de plus en plus, elle pensait à devenir une grande comédienne, maintenant que tout le monde la connaissait. Quand la Fox lui proposa *Sept ans de réflexion*, elle sauta de joie, à la fois parce que le rôle lui plut (autant qu'il déplut à Joe) et parce que le tournage se passerait à New York, dont elle était amoureuse. Joe menaça de ne pas aller la rejoindre dans la métropole tellement il détestait l'histoire stupide du film, et surtout cette scène indécente, où les jambes nues de son épouse seraient dévoilées par le souffle d'air chaud d'une bouche d'aération du métro, scène auquel il assista car, finalement, il la rejoignit, de mauvais gré, à New York. Mais depuis qu'il avait refusé de l'accompagner à la première mondiale de *Comment épouser un Millionnaire,* on savait que le célèbre ménage éprouvait des difficultés. Quand vint le temps de la première mondiale de *Sept ans de réflexion,* tout était fini entre eux. Les problèmes ne s'étaient d'ailleurs pas limités à la situation matrimoniale.

Avant d'arriver au Japon, elle avait appris que son studio l'avait suspendue pour avoir refusé de faire le film *The Girl in Pink Tights,* un film qu'elle disait «indigne» d'elle, alors qu'elle n'en avait même pas lu le scénario (que, de toute façon, on ne lui laissait pas voir) qu'elle jugeait d'après ce qu'on lui racontait. Mais Marilyn, à bon droit, exigeait qu'on lui verse plus d'argent, malgré son contrat qui la liait pour 7 sept ans, et même si elle gagnait déjà 1 500 $ par semaine, une somme largement dépassée par plusieurs de ses rivales qui rapportaient pourtant infiniment moins au box-office! Si bien qu'avec la popularité extrême de Marilyn, qui venait de recevoir son second «Photoplay Award», cette fois comme «Best Actress» pour *Les hommes préfèrent les blondes* et *Comment épouser un Millionnaire,* la Fox n'avait guère d'autre choix, maintenant qu'elle était devenue Madame DiMaggio, que de céder: c'est contre la promesse de jouer dans *Sept ans de réflexion* que Marilyn avait finalement accepté de tourner *There's No Business Like Show Business.* Ce dernier film se révéla sans intérêt, une erreur de parcours pour Marilyn qui se jura dès lors de n'embrasser que des véhicules éprouvés comme *Sept ans de réflexion*, qui était tiré d'un succès éclatant de Broadway, écrit par George Axelrod, adapté à l'écran par Billy Wilder qu'elle allait retrouver dans ce classique de la comédie américaine, *Certains l'aiment chaud.*

Durant le tournage de *The Seven Year Itch,* Milton Greene lui avait offert de réaliser un album photographique dont elle serait le sujet unique. Aussi, en revenant à Los Angeles, la pensée de retourner à New York pour ce projet ne lui semblait pas désagréable, d'autant plus que Greene lui proposait, avec hardiesse, de mettre la Fox en congé pour trois ans et de monter les «Marilyn Monroe Productions». Il y avait aussi son vieil ami, Sydney Skolsky, qui lui parlait de Paula Strasberg, la femme de Lee, le cofondateur du fameux Actor's Studio, qui s'intéressait à elle et qui voulait la rencontrer... L'idée d'étudier la «Méthode» s'imposa rapidement à Marilyn qui en fit, partiellement, une thérapie pour oublier son échec matrimonial avec Joe, et qui y trouva aussi une résolution toute prête pour travailler à se faire accepter comme une actrice authentique et non pas seulement comme un «sex-symbol». Ce désir inassouvi allait devenir une obsession.

La Fox ayant fortement insisté pour qu'elle tourne *How to be Very, Very Popular,* qu'elle considérait dégradant, Marilyn annonça, le 7 janvier 1955, le lancement des «Marilyn Monroe Productions Inc.» afin d'avoir la liberté de choisir ses sujets et de sortir des rôles stéréotypés de la Fox qui l'empêchait de grandir comme actrice.

En février 1956, Marilyn annonça la première production de sa compagnie, *The Prince and the Showgirl,* avec Laurence Olivier. Cependant, la presse newyorkaise fut mesquine et refusa de prendre au sérieux son désir de devenir une comédienne authentique. Pourtant, elle s'était gagné des admirateurs à l'Actor's

Studio, dont Lee et Paula Strasberg, qui allaient devenir ses meilleurs amis et qui lui demeurèrent fidèles jusqu'au dernier jour. C'est au Studio également qu'elle avait revu Arthur Miller, l'auteur de *La mort d'un commis voyageur,* qui regardait les élèves de Strasberg répéter une scène d'une de ses pièces, *Les sorcières de Salem.* Ils se plurent presque immédiatement l'un l'autre, pour des raisons différentes mais complémentaires: avec lui, elle trouverait une crédibilité recherchée avec passion; avec elle, il entreprendrait la rééducation d'un mythe populaire selon ses perspectives d'intellectuel attiré par la symbolique sexuelle.

Entretemps, la Fox se rendit compte de la détermination de Marilyn et, surtout, du fait que la compagnie ne pouvait pas se passer d'elle. Ayant acheté les droits du *Prince et de la Danseuse,* Marilyn entreprendrait ce projet comme prévu, en revenant toutefois dans le giron de la Fox, au détriment de Milton Greene, qui avait perdu le contrôle de sa vedette qui le considérait de plus en plus comme un exploiteur: quand ce dernier se mit à couler tranquillement vers la faillite, Marilyn lui offrit, en compensation, un pourcentage de ses revenus de *Bus Stop.*

C'était là le film qui marquait son retour avec la Fox qui lui faisait un chemin doré: en février 1956, on annonça un contrat de quatre films sur une durée de sept ans garantissant à Marilyn la somme de 8 000 000 $. De plus, elle toucherait rétroactivement 100 000 $ et elle détiendrait désormais un droit de regard sur scénario et réalisation.

Marilyn fit un bon coup en retournant à Hollywood pour y incarner le rôle de «Cherie» sous la direction de Joshua Logan qui demeure le réalisateur qui l'admira le plus: il la compara à une combinaison de Garbo et de

Chaplin. Le réalisateur n'eut pas à faire l'expérience des retards légendaires de Marilyn et n'eut pas à subir son tempérament capricieux durant tout le temps du tournage à Phoenix. À son avis, elle était alors à son sommet, autant sur le plan émotionnel qu'intellectuel. Après la mort de l'actrice il ajoutera: «À l'instar de «Cherie», Marilyn ne put jamais ressentir ce qu'elle cherchait avec tant d'appréhension, le respect d'autrui à son égard!»

Pourtant, *Bus Stop* fut un grand succès, critique et populaire, dans la carrière de Marilyn et il était évident dès lors que ses leçons à l'Actor's Studio avaient porté fruit. Dans sa critique du *New York Times*, en date du 1er août 56, Bosley Crowther écrivit ceci: «Accrochez-vous à vos chaises, tout le monde, et préparez-vous à une surprise de taille. Marilyn Monroe vient finalement de prouver, avec *Bus Stop*, qu'elle est une actrice: elle y est aussi bonne que le film!» Il y eut plusieurs autres critiques semblables, notammemt, celle du célèbre Arthur Knight dans le *Saturday Review*. Mais en dépit de l'évidence, Hollywood refusa de reconnaître en M.M. les possibilités d'une grande performance: on ne lui accorda même pas une nomination à un Oscar que plusieurs lui croyaient due, et cet oubli volontaire fut reçu, par la principale intéressée, comme une gifle.

Après le succès de *Bus Stop*, Milton Greene qui avait contribué, grâce à son cercle d'amis intellectuels, à la rencontre de Marilyn et de Miller, organisa le voyage des nouveaux mariés vers Londres pour le tournage de «sa» production, *The Prince and the Showgirl*. Eh oui, l'adage populaire selon lequel les contraires s'attirent, s'était vérifié une fois de plus avec le mariage de Marilyn et d'Arthur, le 30 juin 1956, lors d'une cérémonie civile à Roxbury, dans le Connecticut, où vivait la famille de

Miller, et, religieusement, le lendemain, devant un rabbin, car Marilyn s'était convertie pour entrer totalement dans l'univers de l'homme qu'elle aimait et qu'elle voulait épouser corps et âme! Enfin, croyait-elle, quelqu'un qui n'était pas intéressé seulement par son image sexuelle, une image d'ailleurs fausse, puisque ce n'était pas l'acte sexuel lui-même qui l'intéressait dans sa vie privée.

Avec Miller, elle entrait dans une nouvelle vie, au centre de l'existence d'un homme, d'ailleurs à demi ruiné, et qui l'adorait le plus «nature» possible: sans soutien-gorge, les seins libres sous l'un de ses chandails sport, en pantalon et sans maquillage.

Un événement macabre, survenu au début de leur mariage, avait laissé planer l'ombre du malheur sur leur union... Un soir qu'il roulait vite sur une route dangereuse, Miller voulut semer une journaliste, qui rata sa manœuvre risquée et alla s'écraser mortellement contre un arbre. Marilyn avait été épouvantée par l'horreur du drame.

Le public londonien avait fait un triomphe à Marilyn qui avait même volé la vedette à son mari lors de la première de *Vu du pont*, la dernière pièce de Miller, qu'on inaugurait, au London's Comedy Theatre, le 12 octobre 1956. Le 29, M.M. était présentée à la reine Elizabeth, à l'occasion d'une Royal Command Film Performance; du côté de Sir Laurence toutefois, l'accueil avait été moins chaleureux, et sa femme, Vivien Leigh, avait su conserver toute la distance de sa classe aristocratique: elle mésestimait sans doute l'artificialité et la vulgarité du personnage créé par Marilyn qui souffrait aussi, depuis quelques années, en Amérique, d'une presse jaune qui portait le nom de *Confidential*. L'éditeur, Robert Harrison, publiait un magazine à scandales qui se voulait révélateur des vices cachés des stars en vogue, et qui avec une circulation initiale de 250 000 exemplaires, vendait, à son apogée, en 1956, plus de 4 000 000 d'exemplaires. Et malheureusement, M.M. était l'une de ses favorites avec Jayne Mansfield, Lana Turner et Ava Gardner, qui avaient toutes été victimes d'une série d'articles dont l'un, concernant Marilyn, s'intitulait: «The Best Pumper in Hollywood? M-M-M Marilyn M-M-Monroe!» («Quelle est la meilleure baiseuse d'Hollywood?»). Tout ça manquait sûrement de trop de dignité pour l'auguste épouse du plus célèbre des snobs anglais qui jugeait Marilyn trop vulgaire.

Le tournage fut exécrable et Sir Olivier prit immédiatement la «Méthode» en aversion. Et comme Marilyn était impressionnée par la stature de son partenaire, son insécurité se manifesta fortement, avec le résultat qu'elle arriva en retard sur le plateau tous les jours et se chamailla avec tout le monde. Elle s'abandonna à Paula Strasberg, but beaucoup de Dom Pérignon et absorba infiniment de pilules. Elle se remit à rêver à une vie familiale et, à son retour d'Angleterre, elle joua à la ménagère avec Arthur sur Long Island, et prit la défense de son mari, accusé l'année auparavant de sympathies communistes par «The House of Un-American Activities Committee» qui le tint en «mépris du Congrès». Pour aller rejoindre Marilyn en Angleterre et obtenir un passeport, il avait accepté de signer un serment anticommuniste mais, au cours de cette chasse aux sorcières, il refusa obstinément de donner des noms de confrères pro-communistes, appuyé publiquement, en cela, par Marilyn, le 23 mai 1957.

Le 13 juin de la même année, les Miller assistaient à la première du *Prince et de la Danseuse*, au Radio City Music Hall, mais le film fit un four. Aux États-Unis, il fut

Marilyn dans son premier film, *Ladies of the chorus* avec Rand Brooks, en 1948.

Impressionné par sa présence charnelle, Groucho Marx lui donna un *walk on* de deux minutes, en 1949, dans *Love Happy*.

Une piètre composition dans *A ticket to Tomahawk*, en 1950: Marilyn voulait désespérément travailler.

Quand on avait besoin d'une jolie blonde provocante pour jouer un petit rôle de secrétaire, on pensait aussitôt à Marilyn comme ici, dans *Hometown Story*, avec Alan Hale, Jr. en 1951.

La même année, dans *As young as you feel,* aux côtés d'Albert Dekker.

1951 fut une année prolifique et si les rôles n'étaient guère substantiels, du moins s'avéraient-ils nombreux: ici avec Jack Paar dans *Love Nest*.

Toujours en 1951, cette fois dans *Let's make it legal* avec Macdonald Carey, Zachary Scott et Claudette Colbert. Marilyn y a prit son allure définitive de star.

Dans *Clash by night* en 1952 avec Robert Ryan: la carrière progresse dans la bonne direction maintenant.

En reine de beauté aux côtés de James Gleason dans *We're not married*, une comédie datant de 1952.

Une rare photo de Marilyn dans les bras de Richard Widmark prise en 1952 au cours du tournage de *Don't bother to knock*.

Un peu lourde dans *Monkey Business* avec son prestigieux partenaire, Cary Grant.

Capiteuse et irrésistible dans *Niagara*, l'un de ses meilleurs films.

En 1953, Marilyn était promue au premier rang des vedettes grâce au film de Howard Hawks, *Gentlemen prefer blondes* où elle ne pouvait pas passer inaperçue.

L'ascension de Marilyn fut officiellement confirmée par son film *How to marry a millionaire*, où elle délogeait facilement la star du moment, Betty Grable.

Dans l'Ouest canadien, aux prises avec Rory Calhoun dans *River of no return* d'Otto Preminger qui ne pouvait pas la sentir!

Toujours dans *River of no return*, on retrouve le sex-symbol dans son attirail le plus familier.

Trop désireuse de tourner avec Robert Mitchum, Marylin n'avait pas réalisé que le scénario de *River of no return* était insipide et le film fut le flop qu'il était destiné à être!

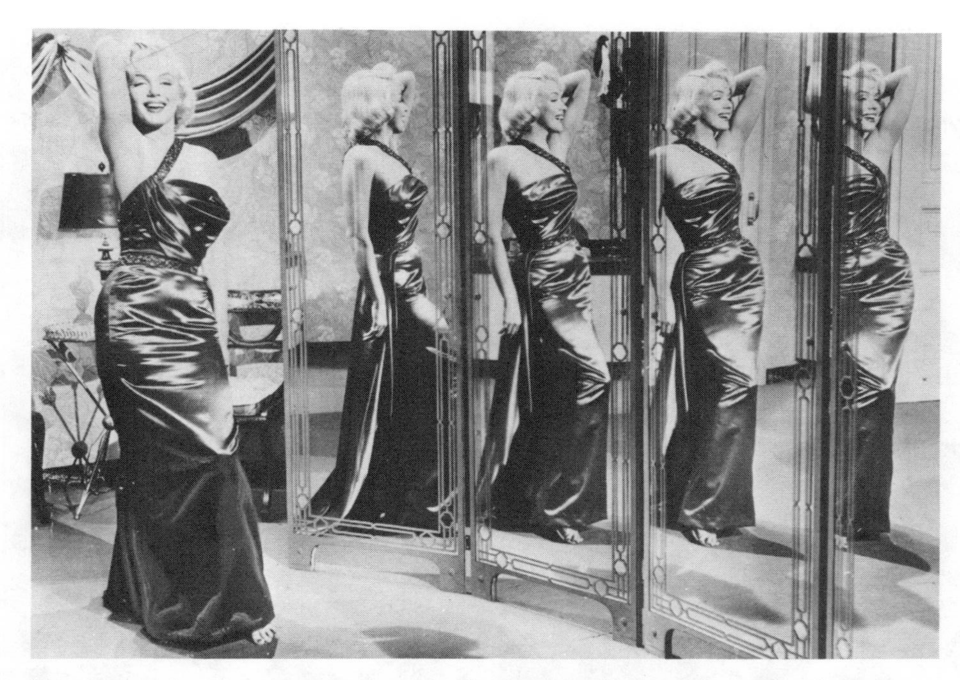

Beaucoup plus glamour et infiniment plus avantagée dans *Comment épouser un millionnaire*, Marilyn eut dans les mains un véritable succès.

Avec Donald O'Connor dont l'apparence jeune et fraîche la fit paraître plus vieille et artificielle dans *There's no business like show-business*. À sa gauche, Mitzy Gaynor, jeune.

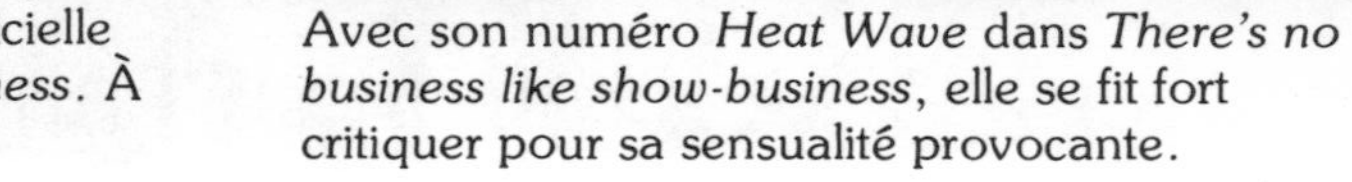

Avec son numéro *Heat Wave* dans *There's no business like show-business*, elle se fit fort critiquer pour sa sensualité provocante.

En 1955, son apparition dans *The Seven Year Itch* valut une ruée sur le box office.

Cette pose au-dessus de la grille d'une station de métro est sans doute l'une des plus connues non seulement de la carrière de Marilyn mais de l'histoire d'Hollywood.

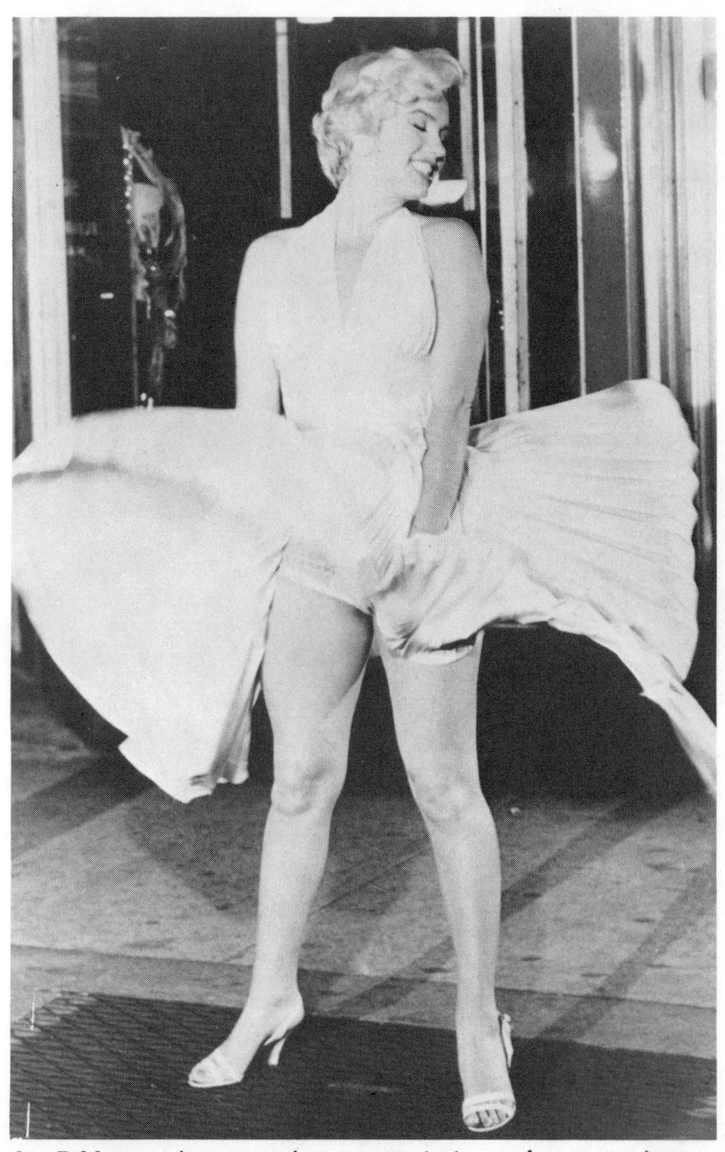

Joe DiMaggio n'avait pas du tout apprécié cette fameuse scène et il en avait fait une crise de jalousie!

Tom Ewell, à l'instar des 2000 spectateurs présents pour la scène tournée le 15 septembre 1954, apprécia le spectacle à sa juste valeur: c'est ce que DiMaggio ne digéra précisément pas!

Cette production de *Sept Ans de Réflexion* qui allait consacrer Marilyn superstar était tirée d'une pièce à succès de Broadway signée par George Axelrod.

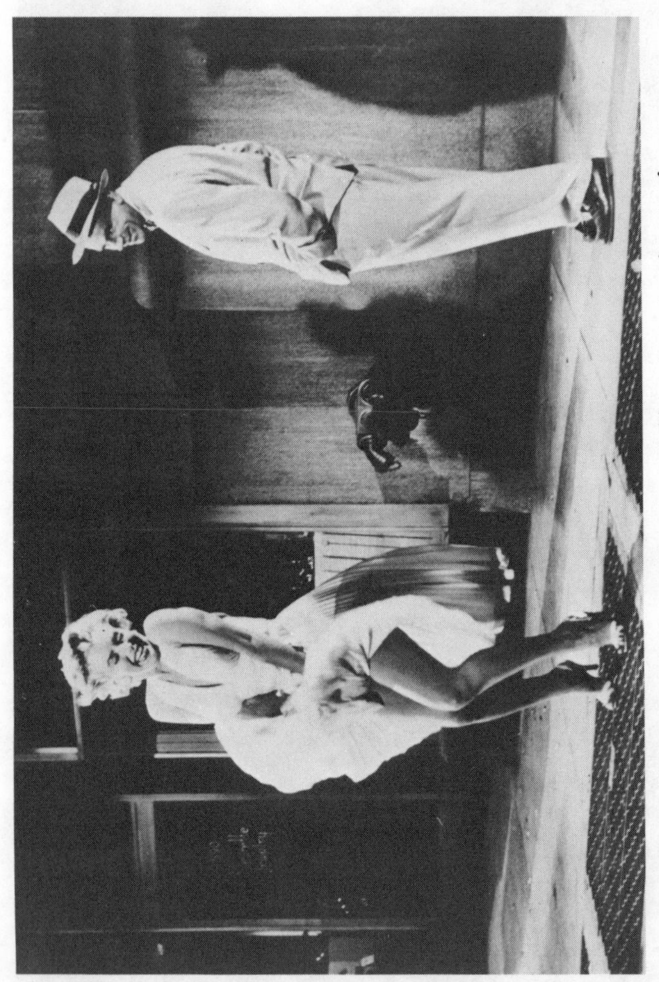

Tom Ewell eut la chance également de passer à l'histoire grâce à cette fameuse scène où le ventilateur du métro relevait les jupes de M.M.

Marilyn exploita le même genre de sexualité innocente en 1956 dans *Bus Stop* où elle triompha à nouveau, cette fois dans les bras de Don Murray.

Avec *Bus Stop*, Marilyn put également reconfirmer ses talents d'actrice comique.

Marilyn était absolument éblouissante dans *Some like it hot* avec Jack Lemmon et Tony Curtis. Sa beauté était en pleine maturité.

Tony Curtis et Marilyn Monroe dans *Some like it hot* qui allait devenir un succès commercial.

Dans le rôle d'Elsie, Marilyn est amoureuse du Duc et danse de joie quand elle se voit interrompre par le jeune roi Nicholas qu'incarnait Jeremy Spenser.

Invitée au bal dans *The Prince and the showgirl*, Marilyn dans le rôle d'Elsie promet de ne pas dévoiler au Duc que son fils veut le déposer pour régner avant son temps.

C'était la première production Marilyn Monroe par suite de la distance qu'elle avait prise d'Hollywood et aux cours de l'Actor's Studio. Financièrement parlant, l'entreprise fut désastreuse et, humainement parlant, elle ne s'entendit pas du tout avec Laurence Olivier qui la méprisait.

Let's make love avec Montand s'avéra une aussi mauvaise aventure en 1960 que *The Prince and the showgirl*.

Physiquement parlant, Marilyn n'était pas en forme pour *Let's make love*: elle avait gagné une dizaine de livres en trop, un sort qui ne pouvait pas aider à l'exploitation du film.

Avec Clark Gable qu'elle admirait depuis son enfance et dont elle faisait son père de fantaisie, elle tourna son dernier film complété, *The Misfits* qui se tourna en tragédie pour Marilyn car certains la tinrent responsable de la mort de Gable peu de jours après la fin de l'orageux tournage.

peu apprécié, sinon pour la beauté de Marilyn, qui, pourtant, ne reçut pas de nomination pour un Oscar, alors que d'autres pays lui accordaient un prix d'interprétation.

Marilyn, qui ne demandait qu'à être enceinte d'Arthur, vit son souhait exaucé, cet été-là; mais le 1er août, après une course de quatre heures, en ambulance, de leur maison d'Amagansett, elle subissait la première d'une série de trois dramatiques fausses couches au New York Doctors Hospital. Quand elle sortit de l'hôpital le 8 août, Marilyn n'était plus la même personne et elle s'enfonça dans une prostration maladive, de laquelle le psychiatre d'Arthur ne sut la sortir.

Pendant des mois, elle s'étourdit avec des tranquillisants et du champagne, puis elle disparut de la circulation pour tout le restant de l'année. Elle ne recouvra sa gaieté qu'avec le nouveau scénario que lui proposait la Fox et qui l'avait fait mourir de rire: *Certains l'aiment chaud*. Quand elle apprit que le film serait tourné en noir et blanc, elle faillit refuser, mais elle écouta Billy Wilder (le seul réalisateur à tourner avec elle une seconde fois, depuis qu'elle était devenue une star de première grandeur), qui lui proposa un test montrant combien auraient été laids les maquillages de Jack Lemmon et de Tony Curtis en couleurs. Mais Wilder fut abasourdi de trouver une Marilyn bien différente de celle qu'il avait connue sur le plateau de *Bus Stop*: les barbituriques faisaient leur effet et la star, en plus d'ignorer ses heures de travail, se montra difficile et capricieuse, d'un tempérament vague et changeant. Tony Curtis lui en voulut grandement et la prit résolument en grippe, ce qui affola davantage Marilyn, incapable de faire face à une agressivité aussi directe (Curtis, un juif, déclara qu'embrasser M.M., c'était comme embrasser Hitler!). Par exemple, une scène nécessita 42 prises de Marilyn.

Avec ce film, où elle était extraordinaire, sa réputation reçut un sérieux coup dans l'industrie.

Le tournage fit également perdre son deuxième enfant à Marilyn, à cause de certaines séquences où elle devait courir avec fébrilité. La déprime saisit la vedette blonde à la gorge. Le César, reçu de Paris quelques mois plus tard, en mars 1959, pour sa performance dans *Le Prince et la Danseuse* n'était qu'une bien maigre consolation. L'Italie l'honora à son tour avec le prix David de Donatello pour «La meilleure actrice étrangère de 1958». En juin, elle subit une chirurgie corrective qui lui permettait d'avoir des enfants mais cela ne changea rien à ses habitudes de tranquillisants, de somnifères et d'excitants. Arthur Miller se considérait de plus en plus comme «le gardien de sa pharmacie».

Au début de 1960, peu de temps avant que Marilyn ne reçoive le «Golden Globe Award» comme «Meilleure actrice dans une comédie» *(Some Like it Hot)*, la Fox lui offrit *Le Milliardaire*... et Yves Montand. Quand elle le vit pour la première fois, Marilyn fut saisie d'un serrement de cœur; elle lui trouvait une certaine ressemblance avec DiMaggio qui, loin d'être disparu de sa vie, n'avait pas arrêté de lui faire la cour avant Miller et demeurait, après Miller, un ami sûr. À un reporter, elle confia: «Après mon mari, et au même niveau que Marlon Brando, Yves Montand est l'homme le plus attrayant que j'aie rencontré!»

De fait, elle se laissa émouvoir par l'époux de Simone Signoret et elle eut une brève aventure avec lui pendant le tournage de *Let's Make Love*. Miller, qui voulait garder jalousement pour lui la femme la plus irrésistible du monde, prit mal la chose quand elle lui avoua qu'elle l'avait trompé avec «le Français». Bien qu'il ait écrit, pour elle, un rôle sur mesure dans *Les désaxés*

(The Misfits), Miller n'était pas sans savoir que tout était fini entre eux: en fait, Marilyn avait perdu son respect pour lui parce que l'homme n'avait pas réussi à résoudre ses problèmes névrotiques. Ce qui tua Miller, c'est d'avoir été perçu par Marilyn comme une espèce de demi-dieu qui viendrait résoudre ses problèmes existentiels, guérir ses plaies profondes, la rendre à elle-même. Et puis, Marilyn aimait trop revêtir la peau de cette femme fatale qui faisait tourner la tête de tous les hommes, un rôle, le seul peut-être, dont elle ne pouvait absolument pas se passer.

Sur le plateau du *Milliardaire*, un acteur trouva la note suivante abandonnée par Marilyn: «De quoi ai-je peur? Pourquoi ai-je si peur? Est-ce que je pense que je ne peux jouer? Je sais pourtant que je le peux mais j'ai peur quand même. J'ai peur et je ne devrais pas et je ne le dois pas. Fuck!» Ce film allait être l'une des grandes erreurs de parcours de M.M.; il rata piteusement au box-office. C'était le premier film où le traumatisme de la vie personnelle de Marilyn était visible sur son visage et à l'écran. En commençant à tourner, elle accusait déjà de l'embonpoint et l'on pouvait discerner la distorsion causée par les drogues sur ses pupilles. Le «studio-system» se démantelant, les problèmes de star parvenaient maintenant jusqu'au public, de telle sorte qu'il n'était plus possible de protéger l'image de «la déesse de l'amour» contre elle-même. Tony Randall a rappelé ce que c'était que de travailler avec Marilyn à cette époque: «Avant chaque scène, elle était si nerveuse qu'il fallait littéralement couvrir son corps de kleenex pour la garder sèche!» George Cukor ne pouvait sauver le film; sachant que le film ne valait pas cher, le studio, désespéré, publia lui-même l'aventure Monroe-Montand, pour sauver sa mise.

C'est avec ce film que débuta réellement le déclin irrémédiable de M.M. Elle venait d'atteindre ce point où, à l'instar de Rita Hayworth et de Lana Turner avant elle, et d'Elizabeth Taylor après elle, le public demeurait hautement intéressé à lire à son sujet mais pas assez pour payer pour la voir à l'écran.

A l'été de 1960, une belle surprise attendait Marilyn: le héros de sa jeunesse, celui qu'elle imaginait dans ses fantaisies comme son «vrai» père, Clark Gable, allait jouer avec elle dans *Les desaxés*. Elle devait y incarner Roslyn Tabor, une femme intensément sexuelle, confuse, névrotique et profondément mélancolique, un personnage si près d'elle qu'il lui rendit le tournage extrêmement pénible. Le soir, elle se couchait avec le Dom Pérignon et le Nembutal, pensant au désastre de son mariage avec Miller, qui devait lui apporter la respectabilité et la sécurité émotive pour la vie, le refus de Montand qu'elle avait charmé mais pas enchanté, ses trois fausses couches, etc. Elle prenait tellement de pilules pour pouvoir s'endormir qu'il lui en fallait autant pour se réveiller. Souvent sur le plateau, dans ce terrible désert du Nevada où il faisait 100 degrés, elle ne pouvait même pas jouer et le tournage était retardé, uniquement à cause d'elle. Même Clark Gable, qui l'adorait, n'en pouvait plus de son manque de professionnalisme, il craignait même d'être victime d'une crise cardiaque avec tous les problèmes qu'elle lui causait. Il mourra en effet d'une crise du cœur, dix jours après le tournage, et la rumeur en rendra M.M. responsable, ce qui l'accablera beaucoup.

Sur le plateau, Miller et Marilyn ne se parlaient pratiquement plus, mais Arthur était fidèle à son œuvre: il résista à toutes les tempêtes jusqu'à ce que son produit sorte sur les écrans et lui rende justice.

Fin août, la situation était si dramatique qu'on dut transporter Marilyn jusqu'à un hôpital de Los Angeles à cause de l'alcool et des barbituriques. On stoppa la production au prix d'une fortune. Le 5 septembre, Miller la ramènera et le tournage se terminera, de peine et de misère, le 5 novembre, établissant le record du film en noir et blanc le plus coûteux de l'histoire!

C'est la fin. Le 11 novembre, Marilyn annonce que son mariage avec Arthur Miller a été une erreur; quatre jours plus tard, à la mort de Gable, elle se jette presque par la fenêtre en lisant que Kay, la femme de Gable, la blâme personnellement pour le décès de son mari. À partir de ce moment, elle voit quotidiennement un psychiatre.

Le 21 janvier 1961, elle divorce d'avec Arthur Miller, une semaine avant le lancement des *Désaxés*, le film qui, espérait Marilyn (comme Monty Clift, d'ailleurs, qui dépendait autant qu'elle des pilules et de l'alcool pour se survivre à lui-même pendant le même tournage), aurait restauré son prestige et stabilisé sa popularité. Mais le film, le dernier des films qu'elle compléta, fut un flop.

Ce qui suivit ce fut une catastrophe personnelle pour Marilyn dont l'insécurité augmentait tragiquement.

Le maquilleur George Masters fut près d'elle durant cette période. Il rapporte une anecdote qui illustre parfaitement l'état d'esprit de Marilyn alors. Ils étaient sur un même vol, assis l'un à côté de l'autre, quand l'hôtesse de l'air prit George pour le frère de Marilyn parce qu'il était blond. Mais Marilyn ne pouvait supporter l'idée de quelqu'un qui lui ressemble. Elle commença alors à lui suggérer de teindre ses cheveux en noir. George refusa, mais Marilyn insista. Il ne céda pas, et ce fut la fin d'une longue amitié (c'est Masters qui est à la base du tout dernier style de M.M.). Elle ne lui adressa plus jamais la parole.

Un mois après le lancement de *Misfits*, le psychiatre de Marilyn la fit interner au Payne Whitney Psychiatric Clinic of New York. Avec des grands-parents, un oncle et une mère ayant eu des maladies mentales, Marilyn eut la peur de sa vie et crut bien devenir folle aussi en se retrouvant derrière des barreaux, dans une cellule où la toilette n'avait pas de porte et où elle pouvait être vue constamment par les infirmières: en deux jours, elle piqua une effroyable crise d'hystérie. On lui avait permis un seul coup de téléphone. Elle appela Joe DiMaggio en Floride et lui cria «au secours». Le fidèle Joe accourut aussitôt et usa de sa considérable influence pour la sortir de là et la faire transférer au Presbyterian Medical Center d'où elle sortit trois semaines plus tard, le 5 mars 1961.

Le 8 mars, Marilyn assistait aux funérailles de la mère d'Arthur Miller, et, en mai, elle était invitée au baptême de John Clark Gable, né quelques mois après le décès de son père. Ce dernier événement lui fit un bien moral intense; il suggérait en effet qu'après tout Kay Gable ne la tenait pas responsable de la mort de son mari. Le 29 juin, elle était hospitalisée pour l'ablation de la vésicule biliaire. Elle ressortait, radieuse, le 11 juillet, du New York's Polyclinic Hospital. En février 62, en compagnie de ses mentors Lee et Paula Strasberg, elle assistait à une représentation de *Macbeth*. Le 21 courant, après son passage au camp d'entraînement des Yankees où se trouvait DiMaggio, en Floride, elle niait les rumeurs de réconciliation, tandis qu'Arthur Miller se remariait avec Inge Morath, une photographe qu'il avait connue sur le plateau des *Désaxés*. Désirant adopter un enfant mexicain, elle partit visiter un orphelinat à

Mexico où elle avait rejoint son dernier amant, l'écrivain Jose Balanos, mais changea d'idée et fit simplement un don de 1 000 $. En mars, elle reçut, à Hollywood, le «Golden Globe Award» pour «La vedette la plus populaire du monde».

En avril 1962, la Fox tenta une dernière chance avec elle et lui offrit *Something's Got To Give*, un remake de *My Favorite Wife*, tourné en 1940 par Cary Grant et Irene Dunne: une comédie racontant l'histoire d'une épouse qui revient après sept ans d'une île déserte pour se rendre compte que son mari s'est remarié. Mais le tournage, encore une fois, fut catastrophique.

Sur un total de 32 jours de production, elle ne se montra sur le plateau que 12 jours, soit pendant sept minutes et demie de film. Une chose est certaine: Marilyn n'était absolument pas en état de tourner un film. Elle venait de déménager dans une maison style ranch au Fifth Helena Drive à Brentwood, et poursuivait allègrement sa consommation de barbituriques et de champagne. Elle y vivait seule avec sa domestique, Mme Eunice Murray. Le film fut problématique dès le premier jour — où Marilyn brilla par son absence — et s'aggrava avec les semaines. Quand elle commença à tourner, M.M. accusait une légère fièvre; pendant les trois premières semaines, elle n'apparut sur le plateau que six jours. Par la suite, elle ne fut jamais ponctuelle. C'est à ce moment-là que les médecins assurèrent à la Fox que la vedette chancelante était vraiment malade.

Or, au beau milieu des rumeurs de congédiements qui circulaient autour de Marilyn, voilà que le 19 mai elle part pour New York où elle va chanter «Happy Birthday» au Président Kennedy, dont c'est le 45e anniversaire, au Madison Square Garden, devant quelque 20 000 personnes! Évidemment, après ça, l'excuse de la «maladie» de Marilyn ne tint plus et le studio, qui perdait une fortune, en était ulcéré. Furieux, Zanuck s'apprêtait à la congédier quand elle réapparut sur le plateau, dans cette fameuse scène de la piscine, où elle décida de retirer son maillot chair pour se baigner nue (elle se trouvait belle de nouveau depuis l'ablation de sa vésicule biliaire) devant les photographes, dont les clichés firent le tour du monde.

Sursis donc pour quelques jours. Vendredi, le 1er juin on fête, sur le plateau, le 36e anniversaire de Marilyn qui paraît enfin heureuse: tout le monde respire de nouveau. Mais le lundi et le mardi suivants, elle ne se montre pas le bout du nez. Fox n'en pouvait plus: le studio avait accumulé une perte de 2 000 000 $ sur ce film, sans compter les immenses pertes rattachées au véhicule de Liz Taylor, «Cleopatre». Il importait d'en finir avec ces super-vedettes dont les caprices venaient gâcher le roulement méthodique de l'industrie!

Jeudi, le 7 juin, Marilyn était exclue du film. Beaucoup considérèrent alors que c'était la fin de sa carrière et que plus personne ne se risquerait à l'engager à Hollywood.

Aux petites heures du matin, dimanche le 5 août 1962, la dormeuse nue devenait immortelle.

Qui attendait-elle au bout du fil?

ÉPILOGUE

Il n'y a que le public qui peut faire de vous une star. Ce sont les studios qui essaient d'en faire un système.

Marilyn Monroe

Il n'y avait personne au bout du fil car personne ne pouvait lui répondre.

Marilyn était immatérielle, tout aussi immatérielle que l'image qu'elle se faisait d'Arthur Miller. Un mythe ne peut résoudre le mythe d'un autre. Mais un simple être humain peut en réconforter un autre. Arthur Miller ne s'est pas manifesté à son enterrement mais Joe DiMaggio y était... et y est encore!

Où trouver la vraie, l'authentique Marilyn?

Si c'est à la salle d'autopsie, alors sa définition se résume au corps d'une femme blanche de 36 ans, pesant 117 livres et mesurant 65 pouces et demi dont le cuir chevelu est couvert de cheveux bruns décolorés en blond. Les yeux sont bleus. Son cœur pesait 300 grammes, son cerveau 1 440 grammes.

Le 5 août 1962, toutes les radios du monde ont annoncé le suicide de Marilyn Monroe. Et pourtant,elle est loin d'être morte puisque 20 ans après, on n'arrête pas d'en parler.

C'est donc que la définition de M.M. n'a rien à voir avec la salle d'autopsie. D'ailleurs, M.M. pourrait-elle n'avoir été que ce corps inerte dont l'orteil porte la plaque d'immatriculation 81128? Impossible, car, au fond, c'est Ivo Helcius Jardim de Campos Pitanguy qui a raison. Marilyn Monroe était mal fichue!

Qui c'est, ce Pitanguy? Un Brésilien de 55 ans, et le plus célèbre chirurgien esthétique du monde; des centaines de femmes sont allées le voir parce qu'elles voulaient ressembler à M.M.

Mais physiquement, elle était mal fichue: «elle était rondouillarde et avait des jambes courtes. Quant à son visage, il était loin de la perfection! Mais voilà, elle avait du charme.»

Ah, le charme, la magie, l'invention, le mythe. La Marilyn immatérielle, n'est-ce pas plutôt là que se trouve la vraie Marilyn, celle qui existe encore, mais celle aussi qui nous a tant fascinés à l'époque?

Car le mythe, c'est nous qui le faisons et sans nous, il ne peut exister. Retournez plus haut et considérez la dernière citation de Marilyn: elle le savait, elle aussi, car elle n'était pas bête! Son problème, c'est qu'elle n'avait pas la maîtrise d'elle-même et elle ne réussissait pas à faire un équilibre entre sa pensée et son émotivité... Était-ce possible avec l'héritage qui était le sien, et avec l'enfance que la société lui refusa? À mon avis, il n'y a pas de mystère Marilyn car les dés étaient joués le premier jour de son existence, ou plutôt ils étaient pipés... contre elle! Seule contre Dieu, avait-elle une chance?

Affamée de l'affection dont elle fut toujours privée, elle ne pouvait pas trouver en un seul homme ce qu'elle cherchait chez tous les hommes, c'est-à-dire un peu de tout en chacun mais chacun ne reflétant jamais le tout. Ce sont des appétits divins, ça, qu'aucun homme ne pouvait combler et surtout pas un mythe. Elle avait besoin d'être aimée mais on ne lui avait pas appris à reconnaître l'amour...

Marilyn aurait 56 ans aujourd'hui: apprécierait-elle davantage la vie?

Non, je ne le crois pas. La vie n'a pas changé, elle est toujours synonyme de vieillesse, de décrépitude, d'injustice et d'impuissance.

À quoi ressemblerait Marilyn aujourd'hui? À 56 ans, elle ressemblerait à tout le monde et surtout pas à son passé. Mais si elle vivait, elle réaliserait qu'elle n'est jamais morte et que c'est dans la mort qu'elle a rejoint l'immortalité, que son mythe a survécu et qu'elle a commencé à être comprise. Elle serait donc contente d'être en vie pour réaliser que ce fut une bonne chose de mourir, après tout. Pour être une héroïne, il faut mourir jeune et laisser des images qui marquent.

Finalement, la vraie Marilyn, elle se trouve au cinéma car c'est là qu'elle s'est projetée telle qu'elle voulait être. Ceux qui l'ont étreinte, nue, dans leur bras, se sont trompés de Marilyn: la vraie était ailleurs et ces pauvres hommes n'auront fécondé que leurs illusions.

Car la vraie Marilyn est un mythe et c'est l'ensemble de nous tous qui permettons à un mythe de vivre. Un homme seul en est incapable! Et Marilyn n'a jamais couché avec un homme seul et surtout pas le Président Kennedy puisqu'il est un autre mythe...

Marilyn couchait avec des représentants de l'amour, et quelle parcelle d'amour pourrait prétendre être l'amour? Il faut avoir l'humilité de reconnaître ces choses-là quand on n'est qu'un homme.

De même qu'il est impossible qu'un homme ait tué Marilyn. Je parle ici de la fausse Marilyn, celle qui a un matricule au bout d'un orteil... Seul un système pouvait venir à bout de cette Marilyn-là, c'est-à-dire un ensemble d'hommes, de femmes et de règles établies par ces hommes et ces femmes-là. Comme la société hollywoodienne, par exemple.

A-t-on réalisé que Marilyn est une rebelle qui n'a jamais obéi de plein gré au «Hollywood Code»? Elle s'est battue contre le pouvoir des studios. Elle a marié un homme accusé d'être un sympathisant communiste. Elle n'a jamais donné de parties pour solliciter les faveurs de l'establishment. Elle n'a jamais sollicité la protection des chroniqueurs en leur donnant des primeurs ou en leur racontant des potins sur les autres, comme tout le monde le faisait avec Hedda ou Luella. De manière générale, elle a refusé de jouer le «Hollywood Game». À cet égard, il y eut clairement une «vendetta» contre elle à partir du moment où elle snoba Hollywood au profit de l'Actor's Studio!

C'est dans cette direction qu'il faut pointer un doigt accusateur et pas ailleurs.

Quelque part au cours de la nuit du 4 au 5 août, Norma Jean Mortensen comprit, finalement, tout d'un coup, sa nature, et cette illumination lui fit saisir l'essentiel de sa quête. On ne lui avait jamais permis d'être ou aidée à devenir l'artiste qu'elle voulait développer en elle. Et quand elle réalisa pleinement quelle était la place qu'elle occupait dans l'industrie, elle le comprit si bien qu'elle s'enfuit d'elle-même pour toujours.

C'est comme ça et pas autrement que finit la Marilyn matérielle et c'est comme ça que commença la Marilyn immatérielle, la vraie, l'immortelle.

Le dimanche, 5 août 1962, toutes les radios et les télés de la terre annoncèrent que Marilyn Monroe était vivante!

QUELQUES PENSÉES

Marilyn Monroe était une amatrice professionnelle.
Sir Laurence Olivier

Je pense que Marilyn était aussi folle qu'un chapelier.
Tony Curtis

Marilyn est un phénomène de la nature comme les chutes du Niagara ou le Grand Canyon. Tu ne peux pas communiquer avec ça. Ça ne peut pas communiquer avec toi. Tout ce que tu peux faire, c'est de reculer et d'être intimidé.
Nunnally Johnson

Elle fut l'une des plus belles femmes à faire le trottoir.
Mae West

Elle connaît le monde mais cet état de conscience a maintenant abaissé sa grande et bienfaisante dignité. Mais les ténèbres du monde n'ont pu amoindrir sa bonté.
Edith Sitwell

La diriger, c'était comme diriger Lassie. Vous aviez besoin de quatorze prises pour en obtenir une seule qui soit bonne.

Otto Preminger

N'importe qui peut se rappeler son texte, mais cela prend une artiste authentique pour venir sur le plateau et donner la performance qu'on lui connaît sans savoir son texte.

Billy Wilder

Marilyn Monroe était sensible et très difficile. Elle faisait de son mieux mais il fallait attendre qu'elle soit prête avant de commencer à tourner et alors, ses inhibitions disparaissaient. Après quoi elle était phénoménale, rien de moins qu'une grande comédienne.

Billy Wilder

Je n'ai jamais rencontré quelqu'un qui soit absolument aussi mesquin que Marilyn Monroe. Ni quelqu'un qui soit aussi fabuleux, de façon absolue, sur l'écran, et j'inclus là-dedans Garbo.

Billy Wilder

Elle était aussi près du génie que n'importe quelle actrice que j'ai connue.

Joshua Logan

Il existe probablement un terme psychiatrique exact pour définir la maladie dont souffrait Marilyn, je ne sais pas vraiment, mais à mon avis, elle était pas mal folle. Sa mère était folle et la pauvre Marilyn était folle aussi.

George Cukor

LA FILMOGRAPHIE DE MARILYN

Titre	Année	Réalisateur	Distribution
Dangerous Years	1947	Arthur Pierson	Billy Halop
Ladies of the Chorus	1948	Phil Karson	Adele Jergens
Love Happy	1949	David Miller	Harpo, Chico & Groucho Marx.
A Ticket to Tomahawk	1950	Richard Sale	Rory Calhoun, Walter Brennan, Anne Baxter. Dan Dailey.
The Asphalt Jungle	1950	John Huston	Sterling Hayden, Louis Calhern, Jean Hagen, Sam Jaffe
All About Eve	1950	Joseph L. Mankiewicz	Bette Davis, Gary Merril, George Sanders, Thelma Ritter, Anne Baxter.
Right Cross	1950	John Sturges	June Allyson, Dick Powell, Lionel Barrymore, Richard Montalban.

The Fireball	1950	Tay Garnett	Mickey Rooney, Pat O'Brien, Beverly Tyler.
Hometown Story	1951	Arthur Pierson	Jeffrey Lynn, Alan Hale, Jr., Marjorie Reynolds, Donald Crisp.
As Young as You Feel	1951	Harmon Jones	Monty Wooley, David Wayne, Jean Peters, Thelma Ritter, Constance Bennet.
Love Nest	1951	Joseph M. Newman	June Haver, William Lundigan, Jack Paar, Frank Fay.
Let's Male it Legal	1951	Richard Sale	Claudette Colbert, Macdonald Carey, Zachary Scott, Robert Wagner.
Clash by Night	1952	Fritz Lang	Barbara Stanwyck, Paul Douglas, Keithandes, Robert Ryan.
We're not Married	1952	Edmund Goulding	Ginger Rogers, Fred Allen, Victor Moore, Paul Douglas, David Wayne.
Don't Bother to Knock	1952	Robert Baker	Richard Widmark, Anne Bancroft.
Monkey Business	1952	Howard Hawks	Cary Grant, Ginger Rogers, Charles Coburn, Hugh Marlowe.
O'Henry's Full House	1952	Henry Koster (Monroe Segment)	Fred Allen, Anne Baxter, Charles Laughton, Jeanne Crain.

Niagara	1953	Henry Hathaway	Joseph Cotten, Jean Peters, Don Wilson, Max Showalter.
Gentleman Prefer Blondes	1953	Howard Hawks	Jane Russel, Tommy Noonan, Norma Varden, Charles Coburn, George Winslow.
How to Marry a Millionnaire	1953	Jean Negulesco	Betty Grable, Rory Calhoun, William Powell, Laureen Bacall, David Wayne.
River of no Return	1954	Otto Preminger	Robert Mitchum, Tommy Rettig, Rory Calhoun.
There's No Business Like Show Business	1954	Walter Lang	Dan Dailey, Ethel Merman, Donald O'Conner, Mitzi Gaynor.
The Seven Year Itch	1955	Billy Wilder	Tom Ewell, Evelyn Keyes, Sonny Tufts.
Bus Stop	1956	Joshua Logan	Don Murray, Eileen Keckart, Arthur O'Connell, Hope Lange, Betty Field.
The Prince and the Showgirl	1957	Sir Laurence Olivier	Sir Laurence Olivier, Sybil Thorndike, Jeremy Spencer.
Some Like it Hot	1959	Billy Wilder	Tony Curtis, Jack Lemmon, Joe E. Brown, George Raft, Pat O'Brien, Joan Shawlee.
Let's Make Love	1960	George Cukor	Yves Montand, Tony Randall, Frankie Vaughn, David Burns.

The Misfits	1961	John Huston	Clark Gable, Eli Wallach, Thelma Ritter, Montgomery Clift.

* Marilyn apparut deux secondes dans Scudda Hoo! Scudda Hay! (1948)

BIBLIOGRAPHIE

Norman Rosten, *Marilyn: An Untold Story*
Alvah Bessie, *The Symbol.*
James Spada, *Monroe — Her Life in Picture* (Doubleday/Dolphin).
Patrick Agan, *The Decline & Fall of the Love Goddesses* (Pinnacle).
Patricia Fox-Sheinwold, *Too Young To Die* (Bell).
Richard Lamparski, *Lamparski's Hidden Hollywood* (Fireside).
Bert Stern, *The Last Sitting* (William Morrow & Company).
Hans Jorgen Lembourn, *40 jours et Marilyn* (Laffont).
Maurice Zolotow, *Marilyn Monroe* (Harcourt Brace).
Fred Lawrence Guiles, *Norma Jean* (McGraw-Hill).
Sydney Skolsky, *Marilyn.*
Pete Martin, *Will Acting Spoil Marilyn Monroe.*
James Goode, *The Story of The Misfits* (Bobbs-Merrill).
Edward Charles Wagenknecht, *Marilyn, A Composite View* (Chilton Books).
Michael Conway & Mark Ricci, *The Films of Marilyn Monroe* (Citadel).

Norman Mailer, *Marilyn* (Grosset & Dunlap).
Edwin P. Hoyt, *Marilyn, The Tragic Venus* (Duell, Sloan & Pearce).
Frank A. Capell, *The Strange Death of Marilyn Monroe* (Herald).
Katleen Irving, *Marilyn Monroe* (Balland).
Danny Peary, *Close-Ups* (Workman Book).

TABLE DES MATIÈRES

Liste des parutions aux
ÉDITIONS
Quebecor

Collection romans

PAUL DÉSORMEAUX, ÉTUDIANT
Marc-André Poissant

LE MIROIR DE LA FOLIE
Marc-André Poissant

JOURNAL DE NUIT
Marc-André Poissant

LE DIVORCÉ
Marc-André Poissant

Collection témoignages

JE VIS MON ALCOOLISME
Ginette Ravel

VIRGINIE PROSTITUÉE
Virginie Vilaire

UN VOYOU PARMI LES STARS
André Rufiange

JACQUES MATTI
Jacques Matti

UN TENDRE AMOUR, VIRGINIE PROSTITUÉE
Virginie Vilaire

STRIP-TEASE
Ginette Deschênes

Collection célébrités

MA VIE DE STRIP-TEASEUSE
Lili St-Cyr

OLIVIER GUIMOND
Manon Guimond

GRACE DE MONACO
Estelle Monière

LA VÉRITABLE HISTOIRE DE JEAN DRAPEAU
Guy Roy

LES HOMMES DE MA VIE
Danielle Ouimet

LADY DIANA
Françoise Gélinas

JOHNNY ROUGEAU
Johnny Rougeau

Collection sport

GRETZKY
Terry Jones

LE DERNIER VIRAGE,
5 ANS AVEC GILLES VILLENEUVE
Christian Tortora

Collection famille

LA PREMIÈRE ANNÉE DE BÉBÉ
Dr Burton L. White

Collection fiction

HULK
Richard S. Mayer

Achevé d'imprimer sur les presses
des lithographes
Laflamme & Charrier inc.

Imprimé au Québec